LENDO A BÍBLIA LIVRO POR LIVRO

Dados Internacionais de Catalogação na Publicação (CIP)
Angélica Ilacqua CRB-8/7057

Marty, William H.

Lendo a Bíblia livro por livro : um guia rápido de estudo panorâmico da Bíblia / William H. Marty, Boyd Seevers ; tradução de Lucília Marques. – São Paulo : Vida Nova, 2020.

304 p.

ISBN 978-85-275-0980-0
Título original: The quick-start guide to the whole Bible: understanding the big picture book-by-book

1. Bíblia - Introduções I. Título II. Seevers, Boyd III. Marques, Lucília.

19-2273 CDD – 220.61

Índice para catálogo sistemático

1. Bíblia – Introduções gerais

Dr. William H. Marty | Dr. Boyd Seevers

LENDO A BÍBLIA LIVRO POR LIVRO

Um guia rápido de estudo panorâmico da Bíblia

Tradução
LUCÍLIA MARQUES

VIDA NOVA

Título do original: *The quick start guide to the whole Bible: understanding the big picture book-by-book*,
edição publicada por Bethany House Publishers (Bloomington, Minnesota, EUA),
uma divisão do Baker Publishing Group (Grand Rapids, Michigan, EUA).

Rua Antônio Carlos Tacconi, 63, São Paulo, SP, 04810-020
vidanova.com.br | vidanova@vidanova.com.br

1.ª edição: 2020

Impresso no Brasil / *Printed in Brazil*

Todas as citações bíblicas sem indicação da versão foram traduzidas diretamente da New International Version. As citações bíblicas com indicação da versão *in loco* foram traduzidas diretamente da English Standard Version (ESV).

Direção executiva
Kenneth Lee Davis

Gerência editorial
Fabiano Silveira Medeiros

Edição de texto
Marcia B. Medeiros
Danny Charão

Preparação de texto
Cristina Portella

Revisão de provas
Rosa M. Ferreira

Gerência de produção
Sérgio Siqueira Moura

Diagramação
Luciana Di Iorio

Capa
Douglas Lucas

SUMÁRIO

NOVO TESTAMENTO

INTRODUÇÃO

SERÁ QUE ESTE LIVRO É PARA MIM?

Talvez você tenha acabado de iniciar a caminhada ao lado de Cristo e precise de ajuda para entender o panorama geral do que a Bíblia realmente diz. Ou pode ser que esteja na igreja há muitos anos, mas sinta que ainda não entende muito bem alguns livros da Bíblia (bem-vindo ao clube!). Ou talvez você goste de ler a Bíblia e não tenha uma coleção de livros de referência, mas gostaria de ter um livro simples e acessível do ponto de vista financeiro que pudesse ajudá-lo a entender o que está na Bíblia e qual é o seu significado. Se você se encaixa em algum desses casos, muito provavelmente será beneficiado pela leitura de *Lendo a Bíblia livro por livro*.

COMO ESTE LIVRO VAI ME AJUDAR A ENTENDER MELHOR A BÍBLIA?

Lendo a Bíblia livro por livro foi escrito por dois respeitados mestres no ensino da Bíblia que foram reconhecidos por suas respectivas instituições como professores excelentes por sua capacidade de explicar a Palavra de Deus. O dr. Boyd Seevers, da University of Northwestern — St. Paul, escreveu os capítulos sobre o Antigo Testamento, e o dr. William H. Marty, do Instituto Bíblico Moody, escreveu os capítulos sobre o Novo Testamento. Eles compartilham seus conhecimentos e percepções neste livro e levam o leitor a percorrer toda a Bíblia, livro por livro, explicando três aspectos de forma simples e clara.

Em primeiro lugar, eles ajudam o leitor a entender o que é importante no contexto ou cenário de cada livro. Quando tentamos entender um livro que vem de um tempo, lugar e cultura muito diferentes dos nossos, geralmente é bom começar identificando qual era a situação original. Assim, cada capítulo começará abordando questões como: "Quem escreveu este livro?", "Para quem ele foi escrito?", "O que seu autor escreveu?", "Onde os acontecimentos se deram?", "Por que o autor escreveu esse conteúdo para seus leitores?".

Em segundo lugar, eles resumem o conteúdo de cada livro da forma mais simples e eficiente possível. Isso ajuda a responder à pergunta: "O que este livro da Bíblia está *dizendo*?".

Em terceiro lugar, depois de examinar o contexto e resumir o conteúdo, os autores explicam a mensagem de cada livro. Isso deve ajudar a responder à pergunta: "O que esse livro *quer dizer*?". Ao fazer isso, os autores examinarão a importância do livro tanto para seu público original quanto para crentes como nós, hoje em dia.

Antigo Testamento

DEDICATÓRIA

Esta seção do livro sobre o Antigo Testamento é dedicada aos alunos da University of Northwestern — St. Paul que frequentaram as aulas avançadas da cátedra Panorama do Antigo Testamento. É sempre um prazer discutir com eles os desafios envolvidos na compreensão e aplicação do Antigo Testamento. A primeira metade deste livro é fruto dessas discussões.

AGRADECIMENTOS

O autor da seção sobre o Antigo Testamento gostaria de agradecer às seguintes pessoas:

Meu editor, Andy McGuire, uma pessoa extremamente capaz e gentil, bem como toda a equipe da Bethany House, com seu profissionalismo e simpatia. Trabalhar com eles é um prazer.

Minha amiga e ex-aluna, Sarah Schock, pelo trabalho competente que realizou na edição desses capítulos. Também agradeço aos meus outros alunos encarregados da edição: David Detloff, Aubree Else, Kelsey Richards, Kristine Sollie, Christine Stevens e Wade Weeldreyer, por seu trabalho entusiástico e sugestões úteis.

GÊNESIS

CONTEXTO

O livro de Gênesis não identifica seu autor, mas a partir de outros textos (Êx 17.14; Mc 7.10) da Bíblia concluímos que Moisés escreveu pelo menos vários dos cinco primeiros livros do Antigo Testamento (também conhecidos como o Pentateuco), incluindo Gênesis. Moisés teria inicialmente escrito esses cinco livros para os israelitas que haviam saído do Egito com ele.

Em Gênesis, Moisés explica a esses israelitas as origens do mundo, dos seres humanos, do pecado, do povo israelita e sua primeira aliança com Deus. Enquanto os leitores contemporâneos talvez leiam a primeira parte de Gênesis com o objetivo de encontrar respostas a perguntas importantes para o pensamento moderno (como, por exemplo, como e quando o mundo começou), Moisés provavelmente abordou questões mais aplicáveis à sua audiência original: "Quantos deuses existem?", "Nosso Deus é como os deuses dos povos ao nosso redor?", "Como devemos nos relacionar com Deus?". O livro de Gênesis pode ser mais bem entendido como um texto que responde a perguntas como essas, embora o modo em que ele as aborda continue comunicando aos crentes de todas as eras como é Deus e como podemos andar com ele.

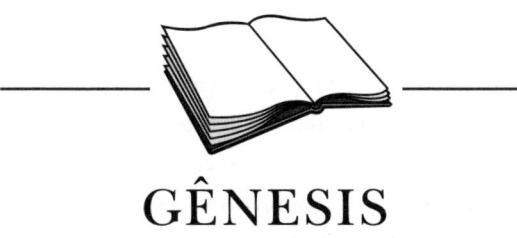

RESUMO

O autor começa com a história da criação (Gn 1.1—2.3) e depois divide o restante do livro em dez seções, cada uma começando com a frase: "Este é o relato de" ou "Este é o relato escrito de" (2.4; 5.1 etc.). No entanto, muitos leitores modernos acham útil dividir Gênesis em duas partes principais: história primeva (1—11), que narra os primórdios da história do mundo, e história patriarcal (12—50), que narra a história dos patriarcas israelitas, Abraão, Isaque e Jacó, e dos doze filhos de Jacó.

□ *História primeva*

Nos capítulos de 1 a 11, Deus cria e orienta o mundo inteiro, com o objetivo de abençoá-lo. Essa seção inclui eventos como a Criação, a Queda da humanidade, o Dilúvio no tempo de Noé e a Torre de Babel (p. ex., veja Mt 24.37; Rm 5.14).

Esses capítulos iniciais também suscitam algumas das perguntas mais controversas que se pode fazer hoje a respeito da Bíblia: "Quando ocorreu a criação?", "Deus criou tudo em sete dias de vinte e quatro horas?"; "Como pode a vida humana ter sido tão longa antes do Dilúvio?" (p. ex., Gn 5.1-32), "Quem eram os 'filhos de Deus' e as 'filhas dos homens?'" (6.2). O autor original e seu público provavelmente sabiam responder a essas perguntas, mas os leitores modernos lutam para encontrar as respostas no texto.

O livro começa com a história da criação — um relato grandioso e belamente elaborado, que mostra Deus transformando o vazio sombrio e caótico (1.2) em uma obra-prima ordenada, cheia de luz e vida. Depois disso, Deus então descansa, simbolizando que sua obra está completa, um ato que os israelitas mais tarde deveriam imitar: um dia por semana, eles deveriam descansar em sinal de sua aliança nacional com Deus (Êx 31.13).

A seguir, nos capítulos 2 e 3 de Gênesis, o texto muda para uma narrativa de acontecimentos que se dão em uma parte da criação chamada de jardim do Éden. Por sua graça, Deus dá ao primeiro homem alimento, trabalho e domínio sobre o reino animal. Apesar de sua situação privilegiada, o homem que Deus criou está incompleto até Deus criar também a mulher — a companheira ideal do homem — e juntos eles representam o padrão perfeito de Deus para o casamento.

Tragicamente, a integridade deles é quebrada para sempre por meio da sedução da serpente, que os leva a desobedecer à ordem clara que Deus lhes tinha dado. Deus, de modo justo, julga todas as partes culpadas. Ao mesmo tempo, ele também demonstra graça ao suprir suas necessidades imediatas e garante a continuação da vida humana, embora, por causa da entrada do pecado, todos devam enfrentar o fantasma da morte.

Os efeitos degradantes do pecado são demonstrados nas histórias narradas a seguir. O filho de Adão e Eva, Caim, responde mal à repreensão de Deus em razão da escolha que ele havia feito e então mata seu irmão, Abel. A descendência de Caim se destaca no orgulhoso e violento Lameque, e o futuro da humanidade parece sombrio. Contudo, o nascimento do irmão de Caim, Sete, oferece esperança, porque as pessoas começam a "invocar o nome do SENHOR" (4.26), o que parece ser uma descrição da adoração adequada do único Deus verdadeiro.

A genealogia subsequente, no capítulo 5, serve a diversos propósitos. Ela conecta os dois primeiros grandes personagens do livro, Adão e Noé; demonstra que a Queda, de fato, levou à morte (quase) todos os seres humanos; e ressalta a figura de Enoque, que andou com Deus (uma das principais ênfases do livro) e não enfrentou a morte.

Como no caso da Queda, a história subsequente do Dilúvio fornece outro exemplo de pecado, julgamento e um novo começo. Qualquer que seja a identidade dos "filhos de Deus" (6.2,4 — anjos caídos? Governantes iníquos? Descendentes piedosos de Sete que foram corrompidos por se casarem com descendentes de Caim?), seu pecado desencadeia o juízo de Deus sobre a humanidade. Deus escolhe Noé, um homem justo, para salvar um remanescente humano da destruição. Como na história da criação, as águas caóticas novamente cobrem a terra. E, novamente, do caos aquático, surgem terra seca, plantas, animais e seres humanos. Em outro paralelo, Noé peca, demonstrando que o pecado não foi erradicado do mundo recriado.

A história primeva termina com o episódio em que Deus dispersa a humanidade arrogante e rebelde na Torre de Babel — outro ato de julgamento que precede uma mudança no plano de Deus para o mundo.

□ *História patriarcal*

A narrativa dos capítulos de 12 a 50 segue a vida de Abraão e de três gerações de seus descendentes. No caso de Abraão, o foco do livro, que antes estava na ação de Deus sobre o mundo inteiro, passa a se concentrar em uma família, por meio da qual Deus pretende abençoar o mundo inteiro.

Deus chama Abraão (cujo nome original era Abrão), dizendo-lhe que deixe o apoio e a familiaridade de seu lar. Abraão obedece imediatamente, apesar do custo e do risco, e emigra para Canaã. Aquela seria um dia a terra natal de seus descendentes — o público-alvo original do livro.

Abraão vive a maior parte do resto de sua vida em Canaã. Quando ele faz um desvio infeliz e vai para o Egito, Deus o protege e enriquece e também a seu clã. Mais tarde, Deus formaliza suas promessas a Abraão (e a seus futuros descendentes) em uma cerimônia de aliança, garantindo terra, descendência e bênçãos à sua linhagem. Como Sara, porém, é estéril, ela entrega sua serva, Agar, ao marido, como substituta, e nasce Ismael. Mais tarde, Deus repete sua promessa e traz ao mundo Isaque, o herdeiro, por meio de Sara. A história de Abraão culmina com o relato de sua disposição de sacrificar seu filho amado, mostrando claramente o tipo de seguidor fiel e obediente que Deus procura.

A linhagem da promessa continua com Isaque e passa para seu filho, Jacó. Um detalhe importante: em cada uma dessas três primeiras gerações, Deus supera a esterilidade de uma esposa (Sara, Rebeca e Raquel) para continuar milagrosamente a linhagem. Além disso, Jacó se torna o herdeiro da promessa, apesar de ser o segundo a nascer. Infelizmente, o filho mais novo de Isaque demonstra constantemente suas muitas falhas de caráter, especialmente a propensão a enganar os outros para conseguir o que deseja. A fraude usada por Jacó para enganar o pai provoca um grande conflito familiar e seu próprio exílio.

Mais tarde, Labão, sogro de Jacó, vira a mesa e o engana. Por consequência, Jacó acaba tendo como esposas as duas filhas de Labão (Lia e Raquel). Por fim, Jacó gera doze filhos — os ancestrais das tribos israelitas. Apesar de tudo, por causa das promessas incondicionais que Deus havia feito a Abraão, Jacó é abençoado com família e riqueza, além do nome *Israel*, e volta para Canaã.

A história patriarcal termina nos capítulos de 37 a 50, que narram histórias dos filhos de Jacó, concentradas principalmente em José, a quem Deus concede dons. Ele é filho da esposa favorita de Jacó, Raquel. A capacidade de interpretar sonhos mostra que Deus escolheu José para realizar grandes coisas. O favor de Deus não impede que ele sofra maus-tratos nas mãos de seus irmãos invejosos e, posteriormente, de seu amo egípcio. No Egito, José sofre injustamente como escravo e prisioneiro por treze anos, mas suas habilidades e seu caráter o preparam para uma inesperada e dramática promoção, quando se torna conselheiro-chefe do faraó, o segundo em comando em todo o Egito.

José acaba reencontrando os irmãos, mas não revela imediatamente sua identidade. Ele primeiro os testa, aparentemente para saber se eles se arrependeram dos pecados cometidos contra ele e se agora são capazes de aceitar o favoritismo que José demonstra em relação a seu irmão Benjamim (o outro filho de Raquel). A reação deles, combinada com o desejo de José de perdoar, permitem que haja uma bela e completa reconciliação.

Os irmãos tinham saído de Canaã e ido para o Egito em consequência de uma fome devastadora. Por causa de José, Jacó e o resto do clã descendente de Abraão mudam-se agora para o Egito, o que inicialmente é uma bênção. Com o tempo, essa bênção se torna um cativeiro do qual Deus resgata o clã que se torna nação no tempo de Moisés e do Êxodo.

MENSAGEM

O que Gênesis ensina? Em outras palavras: o que Deus e o autor humano desejam comunicar por meio dessas narrativas dos primórdios do mundo e do povo da aliança com Deus?

□ *O Deus de Israel é diferente dos outros "deuses"*

Em primeiro lugar, esse livro das origens diz aos primeiros israelitas que seu Deus não tem nenhuma semelhança com os deuses das nações vizinhas. Os outros povos adoram deuses pagãos com falhas humanas, que supostamente criaram o mundo por meio de caos, logro e violência. Por sua vez, o Deus de Israel cria com propósito, poder e esplendor. No tempo de Moisés, esse Deus magnífico convidava os israelitas a se unirem a ele em aliança — um convite que certamente merecia ser aceito por eles.

□ *Obediência traz bênção; desobediência traz castigo*

Em segundo lugar, Gênesis mostra que Deus cria um mundo belo e ordenado, cheio de vida e coisas boas, incluindo os seres humanos. Ele quer abençoar esse mundo, mas a desobediência humana traz morte e corrupção — não só para a humanidade, mas também para todos os aspectos da criação —, enfraquecendo os efeitos da bênção de Deus.

A desobediência humana continua após a Queda, e várias vezes Deus tem de reter sua bênção e julgar os culpados: Adão e Eva, Caim, o resto da humanidade no tempo de Noé e toda a humanidade na Torre de Babel. Embora Deus abençoe a descendência de Abraão, a falta de fé e a desobediência em cada geração dos patriarcas trouxeram consequências a curto e a longo prazo, tanto para os indivíduos diretamente culpados quanto para os que estavam à sua volta — e às vezes muito além deles.

Mas as pessoas também são capazes de grandes demonstrações de fé e obediência, e Deus usa aqueles que confiam nele e o seguem. Como mostram os exemplos de Sete, Enoque, Noé, Abraão de modo especial e finalmente José, esses homens se tornaram canais da bênção de Deus para si mesmos e para outros. Mais tarde, os israelitas, o público-alvo original de Gênesis, teriam de fazer a mesma escolha: dar as costas para Deus, desobedecer à sua palavra e merecer seu julgamento (como fizeram muitas vezes) ou crer em Deus, obedecer a seus mandamentos (como fizeram algumas vezes) e receber sua bênção.

Hoje em dia, o povo de Deus também tem de escolher entre obedecer e ser abençoado ou desobedecer e ser punido. Embora hoje o mundo seja muito diferente do que era no tempo de Adão, Abraão e Moisés, Deus ainda procura aqueles que confiarão no que ele diz e farão o que ele pede. Se optarmos por crer e obedecer, seremos abençoados e teremos uma vida frutífera.

☐ *Deus controla a vida humana e a história do mundo*

Em terceiro lugar, embora o livro de Gênesis mostre que as escolhas humanas têm um profundo impacto no mundo, ele também demonstra claramente que Deus dirige a vida humana e a história do mundo. A criação está sujeita à soberania de Deus, já que ele a criou por sua palavra. Os atos subsequentes de juízo divino também refletem seu controle — aquele que criou o mundo tem poder e autoridade para destrui-lo e refazê-lo como achar melhor.

Deus também controla a vida. Ele deu aos seres humanos a vida e tudo de que eles precisavam para sua sobrevivência; quando eles preferiram rejeitá-lo, o castigo imposto por Deus pelo pecado deles foi a morte. Ele separou o agricultor de sua terra ao julgar Caim e dispersou pessoas ao confundir as línguas, na Torre de Babel. Nas histórias patriarcais, ele prometeu descendência aos que não tinham e capacitou várias vezes mulheres estéreis a dar à luz. Embora Deus sempre trabalhasse de acordo com as escolhas que as pessoas faziam, ele também controlava como a vida de cada uma delas se desenrolaria, independentemente de fomes, guerras, inimigos ferozes e governantes maus.

Deus também controla o curso da história. Ele a iniciou na Criação, quase acabou com ela no Dilúvio e depois fez surgir uma nação especial (Israel) por meio de um casal estéril e idoso. Essa nação especial teria uma história milagrosa, como ilustram as histórias de família de Gênesis e a libertação por meio do Êxodo empreendido pelo público-alvo original do livro.

Por meio de Moisés, Deus ensinou às pessoas que constituíam o público-alvo original do livro que elas tinham um Deus maravilhoso, o qual dirige o mundo e que as abençoaria se confiassem nele e lhe obedecessem. O mundo de Gênesis mudou, mas a mensagem continua a mesma.

ÊXODO

CONTEXTO

O livro de Êxodo trata dos atos e do caráter do Deus de Israel no nascimento de Israel como nação. O livro indica claramente que o líder de Israel, Moisés, é o autor de seu texto como um todo (17.14; 24.4). Personagens bíblicos posteriores, incluindo Jesus, também se referem a informações em Êxodo, dizendo que foram escritas por Moisés (p. ex., Mc 7.10). Esse grande líder escreveu Êxodo para registrar o evento monumental que ajudou a criar a nação — a libertação do povo de Deus da escravidão no Egito (1—18) — e a aliança nacional definidora entre Deus e Israel (19—24). O livro também narra a construção do Tabernáculo, o local onde Deus se encontraria com eles (25—40).

Moisés registrou esses acontecimentos para que os israelitas de seu tempo (século 15 ou 13 a.C.) conhecessem melhor seu grande Deus libertador e soubessem como deveriam se relacionar com ele, assim como os que viveriam durante todo o restante da era do Antigo Testamento. E, embora mais de três mil anos tenham se passado desde que Moisés conduziu os israelitas para fora do Egito, os cristãos de hoje ainda se maravilham e aprendem com o poder e o caráter de Deus refletidos nesses relatos.

RESUMO

O livro do Êxodo divide-se de forma clara em duas partes principais: a narrativa de como Deus libertou os israelitas da servidão (1—18) e um registro da aliança que ele fez com os israelitas (19—40). A segunda seção inclui uma descrição do Tabernáculo, o local onde ocorria o encontro pactual entre Deus e seu povo naquele tempo.

□ *A libertação*

Os capítulos de 1 a 18 contam como Deus liberta os israelitas, depois de várias centenas de anos no Egito. A mudança para o Egito durante o período em que José era poderoso (registrado no final de Gênesis) salva os descendentes de Abraão da fome, mas a passagem dos séculos e sua sujeição à escravidão, sob um novo governante, leva os israelitas a clamarem a Deus por libertação. Seu Deus paciente e fiel suscita um libertador em Moisés, que sobrevive à primeira ameaça do faraó à sua vida pela bravura de seus pais e pela bondade de uma das filhas do faraó. Ao chegar à idade adulta, Moisés tenta ajudar seu povo, mas acaba tendo de fugir para salvar a vida e passando as quatro décadas seguintes no exílio, trabalhando como um humilde pastor.

Deus chama, então, Moisés para libertar seu povo do poderoso reino do Egito. Tendo sido criado no palácio, Moisés sem dúvida entendia o quanto esse resultado era improvável, e essa deve ter sido a causa de sua relutância em atender ao chamado de Deus (ao contrário da resposta de Abraão ao chamado de Deus, em Gênesis 12). Mesmo assim, Moisés finalmente obedece, volta ao Egito e, com a ajuda de seu irmão, Arão, exige que o faraó libere os israelitas.

Um governante orgulhoso de uma grande nação não aceita de bom grado receber ordens de pastores (o que Moisés havia se tornado). Quando o faraó repetidas vezes insiste em não reconhecer a autoridade de Deus e se recusa a libertar o povo da escravidão, Deus usa pragas poderosas para causar desastre nas terras do Egito, em sua economia e na vida das pessoas, com o objetivo de quebrar a resistência do faraó. Depois de finalmente ceder e concordar em libertar os israelitas, ele muda de ideia e os persegue com seus carros de guerra — o núcleo das maiores forças armadas da época. Uma multidão de escravos não tem a menor chance contra um exército como aquele, porém seu Deus milagrosamente dirige sua libertação e provoca a destruição de seus inimigos ao separar e depois fechar as águas do mar Vermelho.

O Deus que tinha dado liberdade aos israelitas lhes providencia a seguir comida e água no deserto, enquanto eles se dirigem para o monte Sinai. Lá eles se encontram com seu Deus maravilhoso e se unem a ele em aliança.

A ALIANÇA

A aliança que Deus faz com os israelitas tem forma semelhante à dos tratados internacionais daquele tempo. Deus promete protegê-los e abençoá-los *se* eles adorarem somente a ele e seguirem fielmente seus mandamentos. Deus enuncia suas expectativas na forma de ordens gerais (os Dez Mandamentos) e específicas (jurisprudências que mostram como aplicar esse código legal a situações particulares). Moisés e os outros líderes da nação ratificam a aliança em nome do povo, e, daquele momento em diante, Israel está vinculado a essa aliança (conhecida como aliança mosaica), que moldará o curso de sua história nacional.

□ *O lugar do encontro pactual*

Ao subir ao monte Sinai para receber a aliança de Deus, Moisés recebeu também instruções para a construção do Tabernáculo, onde Deus se encontraria com seu povo. Esse santuário portátil inclui um pátio com instalações para sacrificar animais e fazer abluções — para facilitar a remoção simbólica dos pecados das pessoas. No pátio, ergue-se um prédio portátil composto por duas salas — a primeira é o Lugar Santo, onde os sacerdotes conduzem rituais diários específicos, e a segunda é o Lugar Santíssimo (ou Santo dos Santos), que abriga a Arca da Aliança, um símbolo sagrado da fé. No Lugar Santíssimo, somente o sumo sacerdote pode realizar um ritual, e apenas uma vez por ano.

Os israelitas imediatamente se afastam de Deus e fazem um bezerro de ouro (um ídolo para adorar), caindo sob o castigo de Deus. Depois, retomando a aliança, eles constroem o Tabernáculo conforme especificado, estabelecendo o local onde pessoas pecadoras, mas santificadas, podem se encontrar com seu Deus santo.

MENSAGEM

☐ *O Deus de Israel é fiel*

Junto com o registro do que Deus fez no período do Êxodo (ele os libertou, protegeu, proveu sustento para eles e muito mais), esse livro também revela como Deus é. Séculos antes, Deus havia jurado a Abraão que seus descendentes (os israelitas) seriam numerosos; eles viveriam em uma nação opressora por quatrocentos anos, e depois ele os libertaria e lhes daria a terra de Canaã como possessão. Por mais improváveis que esses acontecimentos parecessem, o livro de Êxodo mostra que, no tempo de Moisés, Deus havia cumprido fielmente suas promessas e certamente lhes daria também a Terra Prometida. Embora, do ponto de vista humano, parecesse que Deus havia demorado muito tempo, ele é fiel e sempre cumprirá o que prometeu.

☐ *O Deus de Israel é poderoso*

Em segundo lugar, o livro de Êxodo mostra o poder do Deus de Israel — multiplicando um povo, salvando e capacitando Moisés, atingindo seu poderoso opressor com pragas ainda mais poderosas, derrotando o exército do faraó, fornecendo todo o sustento necessário no deserto e revelando-se de modo inesquecível no monte Sinai, por meio de trovão, relâmpagos, fumaça e fogo. Certamente o Deus que podia fazer tudo isso por seu povo tinha o poder necessário para fazer tudo o mais que havia prometido: ajudá-los a sobreviver no deserto, chegar a Canaã e conquistar a terra.

☐ *O Deus de Israel deseja se comprometer com seu povo por meio de uma aliança*

Esse Deus fiel e poderoso também se une formalmente aos israelitas na aliança firmada no monte Sinai. Os estudiosos costumam chamar esse acordo de aliança mosaica, em homenagem ao líder que representou Israel durante o processo de estabelecimento da aliança. Quando Deus chamou Moisés pela primeira vez na sarça ardente, ele revelou seu nome pactual — YHWH (em nossas Bíblias, esse nome costuma ser traduzido por "SENHOR"), derivado do verbo *ser* e, aparentemente, uma referência à sua própria autoexistência ("EU SOU" [YHWH ou Yahweh]). Depois de libertar seu povo, Deus usa aquele acontecimento como sua autoidentificação no estabelecimento da aliança (Êx 20.2), na qual o Soberano do mundo se compromete a sustentar e proteger seus parceiros pactuais — os israelitas — se eles lhe obedecerem fielmente e adorarem somente a ele.

Embora os cristãos de hoje se relacionem com Deus por meio da nova aliança que Jesus estabeleceu, e não da aliança mosaica estabelecida aqui, nós também temos o privilégio de nos relacionarmos com o Deus que nos ama e nos criou para amá-lo e servi-lo.

LEVÍTICO

CONTEXTO

Levítico constitui uma sequência natural de Êxodo, pois explica vários aspectos da vida religiosa que os israelitas deveriam praticar no Tabernáculo que construíram (registrado no final de Êxodo). Deus deu essas instruções durante o ano em que os israelitas ficaram acampados no monte Sinai, após serem libertos do Egito (c. século 15 ou 13 a.C.), e Moisés aparentemente as registrou logo depois.

Levítico descreve os sacrifícios que os israelitas deveriam fazer no Tabernáculo, os sacerdotes que deveriam apresentar essas ofertas, várias leis referentes à pureza ritual e os feriados incluídos no calendário hebraico. Embora muitos aspectos desse sistema religioso tenham sido substituídos posteriormente pela nova aliança, após a vida e o ministério de Jesus, Levítico inclui vários princípios importantes que se aplicam ao povo de Deus em qualquer época. O principal deles é que Deus é santo e seu povo deve refletir essa santidade.

RESUMO

O conceito de santidade domina Levítico — o Deus santo de Israel deseja que seu povo também seja santo. Os capítulos de 1 a 10 mostram como eles deveriam praticar a santidade em seu sistema religioso, enquanto os capítulos de 11 a 27 explicam como deveriam incorporar a santidade na vida diária.

☐ ***Santidade na adoração***

Os sete primeiros capítulos descrevem em detalhes as cinco ofertas principais que os israelitas deveriam apresentar a Deus em várias circunstâncias de vida. Os três capítulos seguintes registram a escolha de Arão e seus descendentes para servirem como sacerdotes e inclui a morte de dois de seus filhos que agiram de maneira contrária ao que Deus exigia (compare a falha semelhante da nação ao construir o bezerro de ouro, em Êxodo 32 e 33).

☐ ***Santidade na vida diária***

O restante do livro detalha como os israelitas deveriam refletir a santidade na vida cotidiana. Deus deu leis que lhes ensinavam a manter a pureza ritual em questões como alimentos permitidos (e proibidos), limites sexuais e leis sociais. Deus também instituiu oito feriados que deveriam celebrar, seja para comemorar os atos redentores de Deus no passado, seja para celebrar as colheitas no ciclo agrícola anual. Essas descrições forneciam informações vitais para os adoradores daquele tempo e para os sacerdotes que oficiavam as cerimônias sacrificiais.

MENSAGEM

O que é santidade? Nesse contexto, primeiramente, santidade significava *separação* do que era comum ou normal. O santo Deus de Israel estava separado de sua criação. Israel, os sacerdotes, o *Sabbath* e todos os itens associados à adoração divina eram separados das pessoas comuns e dos usos comuns e, portanto, considerados santos. Levítico dá orientações ao povo sobre todas as coisas que deveriam ser santas por meio de separação.

Levítico também aborda o segundo aspecto da santidade, que é a *pureza de caráter*. O Deus de Israel claramente tinha pureza de caráter (diferente dos deuses dos povos vizinhos), e ele desejava que seu povo refletisse sua pureza. Sob o sistema que ele prescreveu para os israelitas, os sacrifícios de sangue cobririam simbolicamente seus pecados e os *tornariam* puros. Quando os israelitas realizavam os sacrifícios prescritos em Levítico com um coração confiante, os pecados que tivessem cometido eram expiados (ou cobertos) — quaisquer pecados futuros exigiriam novos sacrifícios. Além disso, eles precisavam obedecer às instruções de Deus para a vida diária, a fim de *manter* a pureza alcançada pelo sacrifício adequado e pela fé.

Embora a nova aliança forneça o sacrifício supremo (o sangue de Jesus) que nunca precisa ser repetido e muitas das antigas regras para a vida santa tenham mudado, o desejo de Deus de que seu povo reflita sua santidade não mudou. "Sejam santos, porque eu, o SENHOR Deus de vocês, sou santo" (Lv 19.2). Os cristãos de hoje devem separar-se de toda influência ímpia e mundana e refletir o caráter puro de Deus.

NÚMEROS

CONTEXTO

Esse livro continua a narrar a história do povo israelita. Em Gênesis, Deus havia prometido a Abraão uma quantidade inumerável de descendentes, aos quais ele daria a terra de Canaã. Deus começou essa linhagem quando o fiel e obediente Abraão morava em Canaã, declarando que seus descendentes partiriam (quando o clã de Jacó se mudasse para o Egito) e depois, após vários séculos, retornariam como uma multidão. Quando chegou o tempo do Êxodo, aquele povo havia realmente se tornado numeroso; Deus os libertou do Egito para que pudessem começar sua jornada pelo deserto do Sinai, em direção à Terra Prometida. Quando pararam no monte Sinai, fizeram uma aliança com Deus que formalizou seu sistema religioso e estabeleceu as diretrizes que deveriam cumprir (a história e os detalhes estão registrados em Êxodo e Levítico).

O livro de Números narra a continuação da jornada em direção a Canaã, bem como os fracassos e sucessos da nação no cumprimento da aliança. Seu líder, Moisés, escreveu este livro no final de sua peregrinação, quando eles já estavam na fronteira de Canaã. Quarenta anos haviam se passado desde que seus pais deixaram o Egito; a incredulidade e a constante desobediência a Deus custaram a vida de uma geração inteira. O livro de Números detalha o que aconteceu durante esses anos, em parte para alertar a segunda geração (e todas as pessoas que viessem a crer em Deus no futuro) sobre as terríveis consequências da incredulidade e da rebelião.

RESUMO

O livro de Números começa depois que o povo saiu em massa do Egito, com a primeira geração de israelitas acampada no monte Sinai, e termina 38 anos mais tarde, com a segunda geração acampada perto da fronteira de Canaã. Na abertura do livro, a nação está fazendo preparativos no monte Sinai (1.1—10.10). Em seguida, eles viajam cerca de 250 quilômetros até o oásis de Cades-Barneia, ao sul de Canaã. De lá, representantes de cada tribo saem para espiar a terra. Quando o povo se recusa a invadir, Deus os condena a morrer no deserto (10.11—20.13); como não confiaram nele, somente seus descendentes entrarão na terra.

Toda a primeira geração morre, e a nação finalmente chega a um local na Transjordânia, a leste do rio Jordão e em frente à cidade de Jericó, com a segunda geração pronta para invadir (20.14—36.13). O livro de Números explica por que a viagem a Canaã demorou tanto e por que a primeira geração não pôde desfrutar da tão esperada herança de sua terra de origem.

□ *Primeira geração — fracasso e juízo*

O livro começa no Sinai, com os israelitas se preparando como seria de esperar que um exército se preparasse para iniciar uma invasão. O livro de Números recebe esse nome por causa dos recenseamentos nos capítulos 1 e 26, que contam, em cada geração, os homens com mais de vinte anos de idade (i.e., os elegíveis para servir como soldados). A tradução tradicional desses números fornece pouco mais de seiscentos *mil* homens adultos, sugerindo uma população israelita total (homens, mulheres e crianças) de mais de dois milhões. A redação também permite a tradução de *milhares* como "clãs", e, nesse caso, o número total de homens seria de cerca de seis mil. Seja qual for o número correto, Deus cumpriu sua promessa de multiplicar grandemente os descendentes de Abraão e guiá-los em direção à sua Terra Prometida.

Depois que os soldados são contados, os preparativos militares continuam. Deus prescreve as formações que a nação deve usar no acampamento e na marcha. Ele explica os deveres de alguns clãs e diz como os israelitas devem usar trombetas para se comunicar de maneira eficaz. Além disso, ele dá instruções sobre assuntos como restituição, apresentação de ofertas e teste de adultério — instruções que ajudariam o exército (e a nação) a manter sua pureza ritual.

Deus deu vitórias militares aos israelitas, à medida que avançavam em direção a Canaã, ajudando-os a desenvolver a tão necessária capacidade militar durante o processo. Pouco depois de deixar o Egito (Êx 17), os israelitas derrotaram os nômades amalequitas. Mais tarde, venceram duas batalhas importantes enquanto viajavam para o norte atravessando a Transjordânia, preparando a região para um futuro assentamento (Nm 21).

Infelizmente, sua disciplina militar (e religiosa) falha, pois eles se queixam e se rebelam repetidamente contra seus comandantes — tanto o humano (Moisés) quanto o divino. Deus pune os culpados, não importa se são duas pessoas ou toda a nação, e eles morrem, incluindo os irmãos de Moisés, Miriam e Arão. Deus pune até mesmo Moisés por desobedecer a uma ordem direta, e o líder da nação é proibido de entrar em Canaã. Ninguém está isento; a desobediência tem um preço alto.

□ *Segunda geração — obediência e esperança*

Deus teve de disciplinar os culpados e, por consequência, uma geração inteira morreu antes que Israel entrasse em Canaã. No entanto, Deus sustenta fielmente o povo durante seus quarenta anos no deserto, fornecendo comida e água, juntamente com outras orientações necessárias para o exército que avança e para o resto da nação em migração. Os dois censos, separados por uma geração, demonstram que seus números permaneceram basicamente iguais, mesmo depois de todos aqueles anos no deserto.

Deus não apenas salva os israelitas da extinção, mas também os protege de ataques espirituais. Quando o rei de Moabe planeja amaldiçoá-los, convocando Balaão, um vidente de renome, Deus faz Balaão abençoar Israel. Essa história enigmática mostra que Deus estava comprometido em abençoar os israelitas para que eles prosperassem, mesmo que isso significasse, por exemplo, usar um profeta não israelita para fazê-lo.

Ao final do livro de Números, vemos uma nova geração pronta para levar adiante o plano de Deus à nação. Moisés nomeia Josué para assumir a liderança e, tanto em Números quanto em Deuteronômio, revisa com os israelitas sua história e suas obrigações em relação à aliança. Se a nova geração obedecer a seu Deus, eles poderão aprender com os erros de seus pais e seguir em frente para finalmente herdar a terra que Deus prometeu que seria dada à família de Abraão.

MENSAGEM

O livro de Números narra quase quarenta anos da história de Israel, incluindo um período bastante sombrio. Deus havia libertado seu povo do poderoso Egito, unira-se, por sua graça, aos israelitas em aliança e generosamente garantira sua sobrevivência durante a longa e sinuosa jornada. Apesar de tudo isso, o povo ainda não acredita que ele os ajudará a conquistar Canaã e desobedece à sua ordem de iniciar a conquista. Uma geração inteira morre em um castigo severo, mas justo.

Apesar desse fracasso, a fidelidade de Deus dá esperança a Israel. Ele capacita a geração seguinte a vencer batalhas que lhes dão terras para assentamentos, à medida que avançam em direção à fronteira de Canaã. Supondo que o povo tenha aprendido com os pecados do passado, o livro termina com os israelitas preparados para começar a invasão, confiando que Deus lhes dará vitória.

Como Moisés fez em Números, escritores posteriores das Escrituras também usam o fracasso da geração pós-êxodo como um aviso sobre os resultados catastróficos que a incredulidade e a desobediência podem produzir. Moisés, no próximo livro, lembraria à segunda geração quais tinham sido os pecados de seus pais e o que essas decisões lhes haviam custado (Dt 1.19-46). Quase 1.500 anos depois, o apóstolo Paulo comenta as falhas daquela primeira geração ao advertir os cristãos para que evitem a idolatria, a imoralidade sexual e até as murmurações (1Co 10.2-12). Embora os cristãos de hoje não sejam chamados e confiar em Deus para invadir Canaã, devemos confiar nele e obedecer à sua direção na vida cotidiana para que possamos herdar todas as bênçãos que ele deseja nos dar e também evitar as consequências dolorosas da incredulidade e da desobediência.

DEUTERONÔMIO

CONTEXTO

Deuteronômio funciona como uma grande transição na história do povo de Deus no Antigo Testamento. Ele encerra os cinco livros do Pentateuco, a história dos quarenta anos de Israel no deserto e a vida de seu grande líder, Moisés. Deuteronômio também prepara o terreno para a conquista de Canaã por Israel e estabelece os princípios teológicos que guiarão a história da nação nos séculos seguintes.

O livro apresenta uma série de discursos de Moisés dirigidos à segunda geração de israelitas após o Êxodo. Ao que parece, foi também ele quem registrou seu conteúdo (31.9,24). Obviamente, o relato de sua morte (cap. 34) foi adicionado mais tarde. Tendo finalmente deixado o deserto do Sinai, o povo estava na fronteira de Canaã, pronto para invadir e conquistar a terra que Deus havia prometido a Abraão. Em Deuteronômio, Moisés revisa o passado recente dos israelitas e os prepara para a próxima fase de sua existência como nação.

RESUMO

Moisés usa a narrativa histórica e várias séries de leis para realizar três tarefas: 1) ele faz uma retrospectiva das quatro décadas anteriores, 2) reitera a grande aliança nacional entre Deus e Israel e 3) dirige a nova geração de israelitas na renovação da aliança, a fim de prepará-los para, com sucesso, conquistar e habitar Canaã.

Moisés começa dizendo que uma jornada que deveria levar pouco mais de onze dias acabou levando quase quarenta anos (1.2,3). Ele, então, resume os principais eventos dessa jornada em que uma geração inteira pereceu. Eles morreram porque não confiaram que Deus cumpriria sua palavra e se rebelaram quando deveriam ter começado a invasão. Moisés relembra o que aconteceu para que a nova geração e, com esperança, também as seguintes não se rebelem.

A aliança nacional que Israel fez com seu Deus no monte Sinai se enquadra no padrão da maioria dos contratos da época, conforme o esboço do livro de Deuteronômio:

Preâmbulo — identificação das partes: Deus e Israel, tendo Moisés como mediador (1.1-5)

Prólogo histórico — resumo do relacionamento histórico entre as partes (1.6—3.29)

Leis da aliança — os Dez Mandamentos, mais leis específicas aplicando os princípios gerais da aliança em várias situações (4—26)

Bênçãos e maldições — pela obediência ou desobediência (27 e 28)

Cláusula especial — instruções sobre a guarda e a leitura periódica da aliança (31.9-29)

Testemunho (32)

Depois de repetir os termos da aliança, Moisés convoca a segunda geração para que assuma o compromisso solene de obedecê-la. Embora tivesse feito um juramento semelhante, a primeira geração o quebrou; a nova geração teria de manter sua palavra para herdar a Terra Prometida.

MENSAGEM

□ *Lembrar — Para agir com retidão*

Moisés queria que essa geração de israelitas conhecesse os acontecimentos do passado e também o caráter e as ações de Deus, de modo que obedecessem e permanecessem fiéis a ele. Quinze vezes, em Deuteronômio, Moisés ordena que o povo se lembre: de que Deus os livrou do Egito; de que eles pecaram contra Deus; do conteúdo da aliança que eles estavam se comprometendo a cumprir. Eles devem *se lembrar* — não apenas para recordar essas verdades, mas também para se apegar a elas e agir corretamente, de acordo com elas. Deus tinha sido fiel, e eles haviam falhado; eles precisavam trilhar um caminho diferente; precisavam manter o "modo de proceder" renovado na mente e no coração.

☐ *Obedecer e permanecer fiel*

Moisés explica claramente o que os israelitas precisam fazer: adorar somente o único Deus verdadeiro (6.4); amá-lo e segui-lo com todo o seu ser (6.5); transmitir essa fé aos filhos (6.6-9). Depois que Deus lhes der sua terra, eles devem permanecer fiéis a ele e não seguir os deuses dos povos vizinhos. Os Dez Mandamentos e as listas de ordenanças subsequentes esclarecem ainda mais as expectativas de Deus.

Yahweh, o Deus de Israel, era único entre os deuses dos antigos povos do Oriente Próximo. Ele é soberano sobre exércitos e nações, dirigindo os acontecimentos para alcançar os fins desejados. Ele é benevolente e fiel; está estabelecendo o povo de Israel em sua terra, depois de os haver preservado durante o período de escravidão e enquanto vagaram pelo deserto durante toda uma geração, e agora os está levando para sua terra natal. Esse Deus merece a lealdade de seu povo.

Os cristãos de hoje se relacionam com Deus com base na nova aliança, estabelecida por meio da obra consumada de Jesus, e não com base na aliança mediada por Moisés no Sinai. Essa nova aliança substitui a aliança mosaica (veja Hb 8.13), e muitos estatutos da aliança que Israel estava obrigado a observar não têm mais efeito. Algumas leis passaram da antiga aliança para a nova (pelo menos nove dos Dez Mandamentos), mas muitas leis ritualísticas não passaram. Embora essas outras leis possam conter princípios que servem de orientação sobre como seguir Jesus, os crentes contemporâneos devem se concentrar nos mandamentos que o Novo Testamento repete.

JOSUÉ

CONTEXTO

O livro de Josué constitui uma transição natural entre os eventos e temas do Pentateuco e a subsequente história de Israel na Terra Prometida. Em Gênesis, Deus começou com Abraão, prometendo dar-lhe uma descendência inumerável que no futuro receberia Canaã como terra natal. A partir desse ponto de Gênesis até o fim de Deuteronômio o texto segue os descendentes de Abraão quando emigram para o Egito, crescem em número, são libertos da escravidão, fazem uma aliança com Deus e sobrevivem no deserto durante quarenta longos anos, a caminho da Terra Prometida. Josué pega o fio da história nesse ponto e segue a entrada dos israelitas em Canaã, onde Deus cumpre sua promessa de dar-lhes terra para se estabelecerem.

O título do livro é o nome de seu personagem principal, o sucessor de Moisés e comandante da conquista de Israel. O próprio Josué pode ter registrado muitos dos acontecimentos narrados (8.32; 24.26), mas a expressão "até o dia de hoje", constantemente repetida, indica que houve passagem de tempo, talvez de vários séculos, entre a época dos acontecimentos e a redação do livro. Não obstante, o livro de Josué registra a fidelidade de Deus ao dar a terra aos israelitas obedientes. Ele também funciona como uma exortação para que as futuras gerações do povo de Deus demonstrem a mesma obediência e lealdade.

RESUMO

O livro se divide em quatro partes: descrição da entrada de Israel em Canaã (1—5); a conquista propriamente dita (6—12); a divisão da terra entre as tribos (13—21); a despedida de Josué como líder dos israelitas (22—24).

A primeira parte relata a entrada do exército invasor no território inimigo — dificultada pelo fato de que o rio Jordão havia transbordado, após as chuvas de inverno. Primeiramente, Deus promete estar com Josué, que envia dois espiões para fazer o reconhecimento da cidade de Jericó, o primeiro objetivo de Israel. Raabe, uma mulher da cidade, diz aos espiões que o povo está aterrorizado com os invasores e promete sua lealdade aos israelitas e seu Deus.

Lembrando o episódio em que abriu o mar Vermelho, na fuga do Egito, Deus interrompe o fluxo do rio Jordão para que o exército israelita possa atravessar em solo seco. Em seguida, ele testa a fé dos soldados acampados perto de Jericó, suspendendo seu suprimento de comida (maná). Eles agora devem comer o fruto daquela terra e recebem a ordem de se circuncidar (cf. Gn 34). Assim como havia feito com Moisés na sarça ardente, Deus aparece a Josué e lhe dá instruções claras, mas pouco ortodoxas, para conquistar Jericó.

O inusitado ataque à cidade dá início às conquistas de Israel e define o tom do sucesso, pois os israelitas obedecem a Deus. Eles marcham em redor da cidade por sete dias, conforme ordenado, revelando ao inimigo seus números e armas. Então, Deus provoca a queda das muralhas de Jericó, eles destroem a cidade, e Israel obtém sua primeira vitória militar em Canaã.

Infelizmente, um israelita, Acã, desobedeceu à ordem clara de Deus e guardou uma parte do despojo proibido, provocando uma subsequente derrota militar nas mãos de uma pequena força adversária e levando à morte dezenas de soldados israelitas, numa batalha que deveria ter sido uma vitória fácil para Israel. Para corrigir esse erro, Israel teve de apedrejar o transgressor antes de poder continuar a conquista com sucesso.

Pouco tempo depois, os líderes de Israel cometem um grave erro: recebendo uma delegação que afirma ter vindo de uma terra distante, eles fazem um tratado de paz com o grupo *sem* antes perguntar ao Senhor como proceder. Eles foram enganados; esses homens são de um povo de Canaã. Agora, por causa do juramento de não lhes fazer mal algum, os israelitas não só estão impossibilitados de expulsá-los da terra, como Deus havia ordenado (Nm 33.51,52), como acabam tendo de enfrentar uma coalizão de exércitos da região centro-sul de Canaã para defender seus novos aliados.

Com a óbvia ajuda de Deus, Israel derrota a coalizão e devasta a região agora vulnerável, conquistando as principais cidades. Os israelitas também derrotam uma coalizão do norte, liberando ainda mais terras montanhosas no norte e no centro de Canaã para assentamento.

A terceira parte de Josué relata como as doze tribos dividiram a terra, confiando que Deus dirigiria o processo por meio de sorteio. Embora as descrições de áreas e as listas de cidades sejam hoje uma leitura tediosa, essa parte do livro teve a função crítica de esclarecer quem tinha direito a qual terra. Além disso, mostrou o processo pelo qual Deus cumpriu sua antiga promessa de dar Canaã a Israel. Os muitos descendentes de Abraão estavam ligados ao Senhor em uma aliança protetora e agora podiam se estabelecer em sua terra.

A última parte resume os principais acontecimentos daquele período. Josué reúne os líderes dos israelitas, agora já abrigados, e os exorta a permanecerem fiéis a Deus, assim como ele havia sido. Depois, ele convoca a nação uma última vez para a renovação da aliança nacional com Deus; o futuro sucesso do povo na terra depende de sua fidelidade.

MENSAGEM

De modo geral, o livro de Josué registra um ponto brilhante na história de Israel. Deus cumpriu fielmente suas promessas e, pelo menos nessa geração, a maioria do povo permanece obediente e desfruta de grande sucesso. Eles tomam grande parte da terra de Canaã, servindo de instrumento do juízo de Deus contra os que o desafiavam havia muito tempo, recusando-se a abandonar o mal e, em vez disso, praticando maldades cada vez piores até o ponto em que Deus não podia mais permitir que continuassem vivos.

☐ ***Deus cumpre suas promessas fielmente***

Deus havia garantido Canaã aos descendentes de Abraão, uma promessa que repetiu várias vezes para as gerações seguintes. O clã viveu por um tempo em Canaã, entre seus outros habitantes, sem ver o cumprimento dessa promessa. Depois, seus descendentes viveram séculos no Egito e sofreram perseguição e escravidão enquanto esperavam que Deus agisse. Finalmente, depois de seis ou oito séculos (dependendo da datação dos eventos), Deus libertou os israelitas, guiou-os através de um deserto literal e os capacitou a conquistar e estabelecer seu lar prometido muito tempo atrás. Nesses eventos, Deus não somente se mostra fiel ao seu povo, mas também revela sua paciência e justiça ao demorar para julgar os outros povos de Canaã.

☐ ***Israel alcança vitória quando obedece***

Os israelitas finalmente receberam a Terra Prometida porque obedeceram e Deus foi fiel. A geração anterior à conquista morreu no deserto porque se rebelou contra Deus. A geração seguinte obedeceu às ordens dele quando se revelou aos defensores de Jericó antes de atacar, creu que os muros de Jericó cairiam com um grito, executou Acã por tomar despojo proibido e, finalmente, quando confiou que Israel poderia derrotar duas coalizões de exércitos inimigos. Porque eles obedeceram, Deus respondeu com ajuda para garantir a vitória.

☐ ***A conquista de Canaã — isso foi verdadeira justiça?***

Apesar do cumprimento das promessas e da louvável obediência registrada em Josué, muitos leitores de hoje têm dificuldade de aceitar o fato de Israel ter aniquilado os cananeus para conquistar a terra. Além disso, a Bíblia diz que Deus ordenou esses atos que, para alguns, parecem crimes de guerra, até genocídio.

Como um leitor moderno deve encarar esses textos? Primeiramente, para os antigos orientais, essas ações provavelmente não pareciam extraordinárias. A literatura da época contém muitas histórias semelhantes sobre um povo que toma as terras de outro (p. ex., cf. Nm 21.26; Dt 2.12,20-23).

Em segundo lugar, e muito mais significativo, a Bíblia deixa claro que Deus estava usando o exército de Israel para punir os povos de Canaã por seus pecados, assim como usaria mais tarde os exércitos da Assíria e da Babilônia para julgar os israelitas quando eles não abandonassem seus pecados. Todos aqueles séculos em que os descendentes de Abraão se perguntaram como e quando Deus cumpriria sua promessa foram os mesmos séculos em que Deus pacientemente suportou a maldade dos povos de Canaã, dando-lhes tempo de sobra para abandonar sua iniquidade.

Deus é paciente (Gn 15.16; 2Pe 3.9) e justo; ele não teria mandado que Israel aniquilasse povos injustamente.

Apesar de todas as diferenças entre o modo de as pessoas se relacionarem com Deus naquela época e como nos relacionamos com ele agora, Deus ainda espera que seu povo lhe obedeça e espere pacientemente que ele aja. Podemos querer que Deus aja *agora*, mas o livro de Josué demonstra que ele pode optar por esperar anos, até séculos, para cumprir seus propósitos. Devemos reconhecer que Deus é Deus, e nós não somos; devemos estar dispostos a aceitar que Deus agirá sempre quando e como for melhor para todas as partes envolvidas, o que ele sabe perfeitamente.

JUÍZES

CONTEXTO

O livro de Juízes registra um período da história israelita que abrange aproximadamente trezentos anos, desde a morte de Josué até o início da monarquia. Em contraste com a obediência, a unidade e o sucesso geral de Israel durante a conquista da terra, essa era é marcada por conflitos internos e flagrante deslealdade à aliança divina. Temos então um dos períodos mais sombrios da história da nação, ao qual Israel sobreviverá porque seu Deus sempre leal está constantemente dando livramento ao seu povo, tantas vezes incrédulo.

Durante esse tempo, Deus usa doze líderes civis e militares conhecidos como juízes (talvez mais bem definidos como libertadores) para libertar seu povo da opressão de potências estrangeiras. Embora esses líderes tragam alívio das pressões externas, geralmente exibem falhas graves e não levam a nação a sair totalmente de seu atoleiro moral e político.

RESUMO

O livro de Juízes se divide em três partes. A primeira relata a conquista incompleta de Canaã por Israel e o início da queda da nação em apostasia e caos (1.1—3.6). O Senhor havia ordenado que Israel expulsasse ou destruísse completamente os habitantes da terra, mas eles não cumpriram a ordem até o fim (p. ex., Js 13.13; 17.13; Jz 1.32). A segunda parte narra as histórias dos juízes (3.7—16.31), incluindo seus sucessos e fracassos. A terceira registra histórias deprimentes de falhas morais e espirituais que levam à guerra civil (17.1—21.25): a sórdida imagem final desse período sombrio.

A primeira parte começa com Deus ajudando a fiel tribo de Judá a continuar expulsando os cananeus (1.1-20). A obediência deles contrasta com a rebeldia dos benjamitas (1.21); isso, juntamente com os resultados da miscigenação das outras tribos com os cananeus, leva ao juízo de Deus sobre a nação. Quando israelitas posteriores são atraídos pela idolatria dos remanescentes cananeus, Deus os castiga enviando opressores que saqueiam suas colheitas e outros bens. Quando os israelitas se arrependem e clamam pelo socorro de Deus, ele cede e levanta juízes para libertá-los. Esse ciclo de pecado, opressão, clamor e libertação se repete várias vezes durante essa era.

A segunda e maior parte do livro narra as façanhas dos juízes que Deus misericordiosamente levanta para resgatar os israelitas oprimidos e arrependidos. O texto relata alguns desses feitos com relatos breves (juízes menores) e outros com histórias mais longas (juízes maiores). Esses registros demonstram repetidamente um dos temas mais constantes do Antigo Testamento: a fidelidade de Deus para com seu povo muitas vezes infiel. As narrativas também destacam o caráter cada vez mais falho dos libertadores chamados para ajudar o povo de Deus.

Os primeiros grandes juízes são bem-sucedidos. Otoniel, natural de Judá, inaugura quarenta anos de paz ao derrotar um inimigo da Mesopotâmia. Eúde, um juiz de Benjamim, livra Israel dos moabitas (inimigos do sudeste) matando astuciosamente seu rei e, assim, trazendo oitenta anos de alívio. Débora traz quatro décadas de paz ao levar Israel à vitória sobre uma coalizão cananeia.

Mais tarde, Gideão derrota os midianitas, um inimigo muito mais poderoso, vindo do deserto oriental, mas depois entra em combate com outros israelitas (de Efraim) e acaba levando a nação à idolatria. Quando seu filho, Abimeleque, o sucede, mata todos os seus setenta e um irmãos, exceto um deles, antes de entrar em conflito com seus próprios súditos e ser morto por eles.

Esse declínio continua com os últimos grandes juízes. Jefté derrota os amonitas, mas faz um voto tolo que custa a vida de sua filha e também acaba matando 42 mil de seus compatriotas. O interessante, forte e corajoso Sansão realiza grandes façanhas, mas também comete grandes pecados. Deus consagrou Sansão antes de seu nascimento (13.7; cf. Nm 6.1-21), mas, durante a vida, Sansão falha em todos os aspectos desse chamado. Ele também andou com prostitutas e tomou por esposa uma mulher pagã.

O livro de Juízes termina com histórias sórdidas que incluem roubo, idolatria, adoração corrompida, estupro e uma guerra civil que quase acaba com toda a tribo de Benjamim. Esse relato não só dá à tribo uma cor sombria, mas também ecoa narrativas anteriores que demonstram como Israel havia se tornado uma nação depravada. Os homens de Gibeá pecam como sodomitas (Gn 18 e 19); as outras tribos atacam Benjamim como Josué atacou a cidade cananeia de Ai (Js 8). Durante o período dos juízes, os israelitas se tornaram como os cananeus que deveriam ter expulsado.

MENSAGEM

□ *Liderança é importante*

De uma perspectiva humana, Israel havia se libertado da escravidão e assegurado sua terra em grande parte por causa da liderança eficaz de Moisés e Josué. Sem um forte substituto para assumir esse manto, a nação despenca. De modo geral, os juízes forneceram certa liderança, mas com sucesso inconstante e limitado. Como os israelitas simplesmente não obedeciam a Deus, Israel precisava de reis para governar o povo.

□ *A desobediência tem consequências*

Como os israelitas obedeceram aos mandamentos de Deus, eles conquistaram Canaã. Após a conquista da terra, a obediência diminuiu; por não terem expulsado todos os habitantes locais como Deus havia ordenado, eles ficaram no meio da idolatria e não resistiram às tentações. E, em consequência de não terem obtido toda a terra que Deus havia prometido, seus bens passaram a ser saqueados por potências estrangeiras. Assim como a obediência é recompensada, a desobediência tem um preço alto.

□ ***Deus permanece fiel***

Embora os israelitas quebrem constantemente a promessa pactual de adorar somente a Deus, ele os livra de suas aflições quando se voltam para ele. Deus não erradica todas as consequências de seus pecados, mas os salva, reintegra e abençoa quando se arrependem. O povo de Deus se mostra infiel muitas vezes; Deus permanece sempre fiel.

Isto é tão verdadeiro hoje quanto era naquele tempo: liderança efetiva e obediência são essenciais para recebermos o melhor de Deus, tanto de forma individual quanto coletiva. E o pecado tem efeitos destrutivos. Embora todo o povo de Deus falhe pelo menos às vezes, sabemos que Deus é fiel e misericordioso, e, quando pedimos, ele nos livra como só ele sabe fazer.

RUTE

CONTEXTO

A história de Rute se passa durante o período espiritualmente sombrio dos juízes, quando aparentemente poucos israelitas cumpriam suas obrigações pactuais com Deus ou com o próximo. No entanto, esse livro mostra que alguns demonstraram tal lealdade, incluindo Boaz, um judeu de Belém, e Rute, uma viúva pobre de Moabe.

O livro em si não indica quem o escreveu, mas a conexão com Davi no final e o retrato geral favorável da heroína de Moabe sugerem que ele pode ter sido escrito durante o reinado de Davi para defender sua ascendência moabita. A Bíblia registra várias vezes a animosidade de longa data entre Israel e Moabe: a história imoral das origens dos moabitas (Gn 19.30-38); o rei de Moabe tentando fazer com que Balaão amaldiçoasse Israel (Nm 22—25.5); confrontos contínuos durante o período dos juízes e da monarquia (Jz 3.12-30; 1Sm 14.47; 2Rs 3); e a subjugação brutal imposta por Davi a esses parentes distantes que anteriormente o haviam ajudado (2Sm 8.2; 1Sm 22.3,4). Deus disse: “Nenhum [...] moabita ou qualquer dos seus descendentes entrará na assembleia do SENHOR, até a décima geração (Dt 23.3). Esse livro parece mostrar que Deus fez uma exceção no caso de Rute e, portanto, Davi não estava desqualificado para governar por causa dessa parte de sua ascendência.

RESUMO

Essa história magistralmente escrita começa com uma breve descrição da tragédia que ocorre com Noemi, uma mulher de Belém. Em seguida, mostra como Deus resolve silenciosa e misericordiosamente sua situação por meio do altruísmo leal de outras pessoas, especialmente sua nora, Rute. Principalmente por causa de Rute, a pobre Noemi recebe de volta um meio de sustento, uma família e até a honra de um lugar na linhagem familiar do maior rei de Israel (e, finalmente, do Messias). No capítulo 1, uma fome em Israel leva Noemi e seu marido a se mudarem para Moabe com seus dois filhos. Os filhos casam-se com moabitas, uma das quais é Rute. Então, o marido e os filhos morrem. De uma hora para outra, Noemi se encontra viúva, em uma terra estrangeira, sem ninguém para sustentá-la.

A fome em Israel havia terminado; Noemi decide voltar para sua casa porque a terra da família oferece alguma esperança de apoio. Ela incentiva suas noras a voltarem para suas famílias de origem, pois não tem como sustentá-las. Orfa, a outra nora, vai embora, mas Rute permanece. Com extrema lealdade, ela promete sua devoção a Noemi e ao Deus de Noemi. A mulher mais velha está amargurada com Deus por causa de suas perdas, mas elas chegam a Belém a tempo da colheita da cevada — uma fonte de alimento em potencial.

A história dá uma grande reviravolta para melhor no capítulo 2. Rute, obedientemente, entra nos campos para respigar (recolher pequenas quantidades de grãos deixadas pelos ceifeiros), para obter alimento para si mesma e para Noemi. Deus havia ordenado que os proprietários de terras israelitas compartilhassem suas colheitas de grãos e outros produtos da terra, deixando as últimas porções da produção para os pobres coletarem (Dt 24.19-22). Embora ele tivesse ordenado isso, provavelmente nem todos os proprietários de terras o permitiam, especialmente durante aquela época de desobediência geral. No entanto, Rute "por acaso" acaba no campo de Boaz, um homem de recursos e também um parente do falecido sogro de Rute. Então, "ocorre que" Boaz encontra Rute e não apenas permite que ela respigue em seus campos, como faz de tudo para protegê-la e fornecer comida extra para ela e Noemi. Quando Noemi descobre o que acontecera com Rute, fica animada e começa a considerar a possibilidade de resgate — outro costume social ordenado por Deus que talvez não fosse sempre praticado naquele período.

Nessa forma de resgate, um parente próximo do sexo masculino, o chamado parente resgatador, cuidava de um membro da família que houvesse caído em desgraça. Se a pessoa, por exemplo, tivesse de vender terras para pagar dívidas, o resgatador compraria a terra de volta para mantê-la na família. Se um homem casado morresse sem herdeiros e não tivesse irmãos para se casarem com a viúva e gerar um herdeiro, o resgatador assumiria essa responsabilidade. Noemi e Rute precisavam de um parente para resgatá-las; será que havia um parente disposto a fazer isso?

Nos capítulos 3 e 4, Boaz cumpre esse papel. Primeiro, Noemi incentiva Rute a vestir sua melhor roupa e encontrar Boaz à noite na eira, um local comum onde os agricultores processam seus grãos colhidos. Rute encontra Boaz como esperado e pede que ele cuide dela — ou seja, se case com ela e compre a terra da família antes que seja vendida a um desconhecido. Boaz concorda, mas age corretamente dando primeiro a oportunidade a um homem que é um parente mais próximo que ele. Aquele homem, para preservar seus próprios interesses, se recusa a resgatar; ao fazê-lo, perde a chance de ter um lugar na linhagem real. Boaz, contudo, é abnegadamente leal: ele compra a terra, casa-se com Rute e depois eles têm um filho, cujo neto é o rei Davi.

MENSAGEM

□ *Deus orquestra os acontecimentos discretamente*

Deus dirige os acontecimentos no livro de Rute de uma forma sutil, de modo que as coisas parecem acontecer "por coincidência". Rute acaba nos campos de Boaz; Boaz chega lá na hora certa; o encontro noturno entre Rute e Boaz na eira funciona perfeitamente; o parente mais próximo, por interesse próprio, se recusa a resgatar a família para que Boaz possa fazer isso sozinho. Deus frequentemente supre as necessidades de seu povo fiel por meio de (aparentes) coincidências felizes e no momento certo.

□ ***Deus age para resolver problemas, muitas vezes por meio de seu povo***

Deus também supre as necessidades de seu povo por meio de pessoas que se importam com os outros de forma abnegada. Os israelitas chamavam isso de *hesed* — demonstrar lealdade a Deus e aos outros, conforme exigido por sua aliança com o Senhor. Rute primeiro mostrou essa lealdade à sogra Noemi e, por sua vez, Noemi fez o mesmo com Rute. Boaz mostrou sua lealdade a Deus e à família, cuidando das duas mulheres.

Embora os crentes da era do Novo Testamento não estejam vinculados à mesma aliança que os israelitas do Antigo Testamento, Deus ainda espera que demonstremos lealdade a ele e cuidemos dos outros, especialmente de outros cristãos. Quando o fazemos, ele orquestra as circunstâncias para que sejamos atendidos conforme a necessidade.

1SAMUEL

CONTEXTO

O livro de Samuel — 1Samuel, juntamente com 2Samuel — relata um período de importante transição na história de Israel. Samuel, o último dos juízes de Israel, lidera uma federação pouco coesa de tribos praticamente independentes e ajuda a facilitar a transição difícil para a governança centralizada sob a autoridade de um rei. Ele também desempenha um papel fundamental na segunda grande transição do livro — do rei Saul (da tribo de Benjamim) para Davi (da tribo de Judá).

Os livros de 1 e 2Samuel, originalmente escritos como uma obra só, foram divididos por conveniência quando traduzidos para o grego, antes do nascimento de Cristo. Samuel — juiz, profeta e sumo sacerdote — pode ter escrito a primeira parte do livro; o autor do restante é desconhecido. O livro trata dos aspectos humano e divino de muitos acontecimentos políticos, militares e teológicos durante esse período que mudou Israel de forma tão marcante.

RESUMO

O livro de 1Samuel narra a carreira de dois governantes, Samuel e Saul — o último juiz de Israel e o seu primeiro rei, respectivamente. Ele também introduz um terceiro personagem, Davi, cuja ascensão cria um conflito irreconciliável com Saul, o rei estabelecido, mas incompetente. Os acontecimentos que se dão entre Saul e Davi revelam quem deve servir como rei e ter o direito de passar a coroa aos seus descendentes.

Os capítulos de 1 a 7 seguem a carreira de Samuel, que também se mostra mais capaz que seu antecessor, Eli, o sumo sacerdote estabelecido, mas ineficaz. Nascido como um presente de Deus para uma mulher anteriormente estéril, Samuel demonstra ter a bênção divina desde o início. Todo Israel pode ver o contraste entre ele e os filhos depravados de Eli. Deus usa os filisteus para acabar com a linhagem de Eli, mas, ao derrotarem Israel, os filisteus também capturam a Arca da Aliança. Embora esse símbolo santíssimo da fé israelita tenha se tornado um troféu de guerra, Deus usa tal circunstância para mostrar sua soberania sobre todos os outros deuses. Por duas vezes, ele faz com que a estátua do deus filisteu Dagom caia prostrada diante dele e ataca os filisteus com pragas, até que eles devolvem a Arca a Israel.

Os capítulos de 8 a 12 relatam a transformação de Israel em uma monarquia. Samuel é um bom líder, mas os israelitas veem que os filhos dele não serão sucessores dignos, por isso pedem-lhe que lhes dê um rei. Passagens anteriores das Escrituras haviam previsto uma monarquia em Israel, e Deus sabia que o povo acabaria exigindo um rei (Gn 17.16; 49.10; Nm 24.17-19; Dt 17.14-20). Ainda assim, o pedido desagrada a ele e a Samuel, que alerta os israelitas sobre as armadilhas de estar sob o governo de um rei. Quando o povo não cede, Deus escolhe Saul, e Samuel o unge em particular. Enquanto Deus confirma a seleção de Saul por meio de sinais milagrosos e uma cerimônia pública, Saul se esquiva da solenidade e deixa de obedecer a todas as instruções de Samuel — um triste prenúncio do que está por vir.

O reinado subsequente de Saul destaca seu fracasso em obedecer a Deus e em servir como rei. Ele começa bem, livrando uma cidade israelita de uma grave ameaça militar, mas esse acaba sendo um acontecimento isolado. Temendo um inimigo ainda mais forte, Saul desobedece a uma ordem explícita de Samuel e, ao escolher seu próprio caminho, em vez de seguir a Deus, perde a chance de começar uma dinastia. Depois disso, faz um voto tolo e quase mata o próprio filho, Jônatas, para cumpri-lo. Finalmente, desobedece a outra exigência de Deus e perde até o direito de governar.

Os capítulos de 16 a 31 testemunham a estrela de Davi subindo para eclipsar a de Saul. Assim como havia feito com Saul, Samuel unge o jovem que se tornará o segundo rei de Israel, embora Davi não comece a reinar imediatamente. Ele serve à coroa, primeiro como músico da corte e depois como guerreiro; derrota Golias e livra Israel de outra ameaça filisteia. A inveja assassina de Saul faz com que Davi primeiro fuja de sua corte e depois do reino, temendo por sua vida. Por duas vezes durante esse período, Davi tem a chance de matar Saul, mas se recusa a fazê-lo, mesmo em legítima defesa, escolhendo esperar o tempo de Deus. Assim como havia feito com Eli e Samuel, Deus usa os filisteus para eliminar a linhagem de Saul, de modo que Davi possa assumir o poder. Durante os anos em que foge de Saul, Davi mostra sua capacidade de liderança, arregimentando um exército particular leal. Ele também exibe inteligência política e um forte caráter moral, recusando-se a matar o governante legitimamente estabelecido (embora muito inapto). Essas características são muito úteis quando, mais tarde, ele leva Israel à glória como seu maior e mais famoso rei.

MENSAGEM

☐ ***Deus usa pessoas de caráter exemplar, independentemente de sua origem***

Deus substitui Eli por Samuel e Saul por Davi. Nem Samuel nem Davi estão na família "certa" (de acordo com a tribo) para substituir os líderes estabelecidos, mas Deus, assim mesmo, eleva os dois. Deus estabelece as linhagens de sacerdotes e reis para Israel, mas abre exceções para pessoas de caráter exemplar.

☐ ***Deus lida com as pessoas conforme as escolhas que elas fazem***

Deus dirige os eventos em Israel em parte por causa das escolhas das pessoas. Ana pede um filho; Samuel é uma bênção para ela e para a nação. Os israelitas insistem em clamar por um rei; eles sofrem sob a liderança ineficaz do rei que escolheram. Saul toma uma série de decisões erradas; ele perde as bênçãos de Deus, a oportunidade de começar uma dinastia, o direito à sua própria realeza e, finalmente, a vida dos filhos e a sua própria. Em contraste com ele, Davi faz escolhas sábias, ganha o favor de Deus, a realeza e uma dinastia duradoura que se estende infinitamente por meio do reinado eterno de Jesus.

☐ ***Deus leva tempo para acertar as coisas***

Deus colocou Samuel e Davi em suas posições de serviço, mas, da perspectiva humana, ele demorou muito tempo para fazer isso. Debaixo da autoridade de Eli e Saul, a nação ansiava por uma liderança mais eficaz. Davi sofreu muito com os maus-tratos de Saul, esperando o que Deus havia prometido — o que ele já havia sido ungido para fazer! Aqueles que confiaram em Deus e obedeceram ao seu comando foram colocados nos lugares certos e não precisaram forçar seu caminho nem impor seu próprio cronograma.

A maioria dos cristãos de hoje não vive em Israel nem sob o domínio de reis, mas Deus ainda dirige o que acontece em nosso mundo e na vida de cada um de nós de acordo com sua vontade. Da mesma forma, ele ainda usa pessoas de caráter forte e abençoa aqueles que fazem escolhas sábias. Os planos e os propósitos de Deus nunca são frustrados e sempre se realizam, apesar de nem sempre acontecerem quando gostaríamos ou como achamos que deveriam acontecer.

2SAMUEL

CONTEXTO

O livro de Samuel originalmente era uma única obra; o texto de 2Samuel continua do ponto em que 1Samuel termina.

Saul havia acabado de morrer em batalha, deixando Israel com pouca confiança de que conseguiria sobreviver a seus conflitos internos e às ameaças contínuas dos filisteus e de outros povos vizinhos. A maior esperança do país é Davi, um talentoso ex-pastor de ovelhas de Belém. Anos antes, o profeta Samuel o havia ungido, e agora o caminho para a coroa está aberto. Davi age com habilidade, não apenas ao assumir o trono, mas também na condução de Israel ao domínio regional. Durante esse processo, Deus o recompensa com uma aliança que promete sucessão dinástica interminável. Infelizmente, as falhas pessoais de Davi também geram tremendo tumulto em sua família e seu reino.

Para um breve tratamento da história e autoria de 1 e 2Samuel, veja o "Contexto" de 1Samuel.

RESUMO

Os capítulos de 1 a 4 apresentam Israel tentando se recuperar de uma derrota devastadora. O povo dos filisteus, um inimigo claramente superior, acaba de matar Saul, o rei, e Jônatas, o príncipe herdeiro, além de dizimar o exército. As tribos do norte[1] coroam outro filho de Saul, Isbosete, para governar em seu lugar. Davi, o rival formal de Saul, também é coroado por sua própria tribo, Judá, no extremo sul de Israel. Vários anos de conflito se sucedem e fraturam ainda mais a nação dividida. O apoio a Davi aumenta gradualmente, e ele finalmente se torna rei de toda a nação, evitando habilmente a cumplicidade na morte de seus rivais restantes. Israel emerge da crise unificado sob um rei capaz e ambicioso, pronto para conduzir a nação à grandeza.

Os capítulos de 5 a 12 relatam como Davi consolida e expande o poder de Israel até que se torne a maior potência da região. Primeiro, ele muda sua capital de Hebrom para Jerusalém, um local mais central, que permite defesa adequada e possibilita expansão. Em seguida, inflige derrota decisiva aos filisteus, um inimigo persistente desde os tempos de Sansão.

Surpreendentemente, quando Davi tenta transformar Jerusalém no centro religioso de Israel, as coisas acontecem aos trancos; ele tem dificuldade de trazer a Arca da Aliança para a cidade e, além disso, Deus frustra por uma geração os planos do rei de construir ali um templo permanente. Contudo, Deus honra o caráter e o serviço de Davi, prometendo-lhe uma sucessão real perpétua, honra que havia sido negada a Saul (veja Sl 89; 132).

O pecado de Davi com Bate-Seba interrompe a narrativa de seus consideráveis triunfos. Deus deu a Davi uma coroa, riquezas, imensa honra e fama militar, mas não concede perdão ao rei por conquistar a esposa de outro homem. Embora Davi se arrependa sinceramente de seu adultério e Deus o perdoe, seu fracasso moral causa um tremendo conflito no seio da família e no reino pelo resto de seu reinado.

O saldo do livro registra a triste decadência do rei, de sua família e de seu reino. O filho de Davi, Amnom, estupra e depois abandona sua meia-irmã, Tamar. O irmão de Tamar, Absalão, mata Amnom por vingança e por isso passa vários anos no exílio. Quando Absalão

[1]Rúben, Benjamim, Issacar, Zebulom, Dã, Naftali, Gade, Aser, Efraim e Manassés. Posteriormente, o conjunto dessas dez tribos constituiria o Reino do Norte.

retorna, Davi o rejeita; por fim, Absalão se rebela, buscando tanto conquistar a coroa quanto acabar com a vida de seu pai. Embora Davi vença a afronta, ele lida mal com o episódio ao prantear e honrar o filho rebelde, em vez de reconhecer e demonstrar gratidão aos que fielmente o apoiaram. Em nítido contraste com sua habilidade política, perspicácia militar e vitalidade espiritual, Davi teve muita dificuldade em governar bem sua família.

MENSAGEM

□ *Nossas ações acarretam resultados correspondentes*

No início de 2Samuel, Israel está em grandes apuros, em parte por causa das decisões ruins de seu rei anterior. Mesmo assim, Israel se torna uma nação proeminente, principalmente por causa das decisões sábias de seu governante seguinte. O rei Davi nem sempre é tão sábio em suas decisões quanto o pastor Davi; o resultado disso é que ele, sua família e sua nação sofrem profundamente. As decisões humanas produzem frutos correspondentes, para o bem ou para o mal, tanto no nível pessoal quanto no coletivo.

□ *Nossa reação diante do fracasso tem uma importância enorme*

Tanto Saul quanto Davi cometem pecados graves, mas, diferentemente de Saul, Davi reage da maneira certa após seu fracasso. Quando confrontado a respeito de seu pecado com Bate-Seba, Davi confessa e se volta para Deus (cf. Sl 51). O Senhor responde com perdão e, embora não poupe Davi ou seu povo de todas as consequências do que ele fez, ele não lhe tira a coroa nem a honra da sucessão dinástica.

□ *Deus usa a linhagem de Davi para abençoar seu povo*

Deus abençoa Davi com uma aliança eterna (conhecida como aliança davídica; 7.1-27), por meio da qual ele usa a linhagem real de Davi para abençoar seu povo, apesar de suas falhas. Davi manteve o trono, apesar de seus erros; seus descendentes reinaram em Jerusalém por quase quatrocentos anos depois dele, a despeito de seus pecados. O maior descendente de Davi, Jesus, agora governa no céu e um dia governará na terra — abençoando-nos, apesar das nossas falhas.

Devemos, como cristãos, ter em mente que nossas decisões e ações nos trarão benefícios ou sofrimento. Mesmo se formos sábios o suficiente para fazer a escolha certa na maioria das vezes, há momentos em que todos nós falhamos. Da mesma forma, devemos considerar que a maneira de reagirmos ao fracasso desempenha um papel fundamental no modo de Deus guiar o curso da nossa vida.

1REIS

CONTEXTO (1 E 2REIS)

Os livros de 1 e 2Reis concluem a narrativa sobre o período em que o povo de Israel viveu na Terra Prometida antes de seu Exílio. Essa história começou em Gênesis, quando Deus iniciou um povo com Abraão e prometeu dar-lhes a terra de Canaã como seu lar. Os descendentes de Abraão finalmente conquistaram aquela terra sob o comando de Josué, alcançaram o auge de seu poder e glória nos reinados de Davi e Salomão, e lá permaneceram por várias centenas de anos, até serem conquistados e exilados nas mãos da Assíria e da Babilônia.

O texto de 1 e 2Reis começa com o reinado de Salomão, continua com a divisão da nação em Israel e Judá e acompanha o governo de seus reis nos quatro séculos seguintes, até que finalmente as duas nações sejam conquistadas e exiladas. Os livros enfatizam até que ponto a nação e seus reis seguem a Deus ou não, particularmente em três áreas: a lealdade dos reis a seu Deus, a adoração de Deus pelo povo e a resposta da nação aos profetas (p. ex., Elias e Eliseu) que Deus levanta para exortar os israelitas a cumprirem suas obrigações decorrentes da aliança. Quando o povo ignora constantemente as advertências, Deus usa seus inimigos para conquistá-los e tirá-los de sua terra, como tinha avisado que faria muito tempo atrás, por meio de Moisés.

Como no caso de 1 e 2Samuel, 1 e 2Reis eram originalmente um único livro, mas foram divididos por conveniência, antes do tempo de Cristo. O autor (ou autores) desconhecido de Reis provavelmente escreveu essa história durante o Exílio na Babilônia com o objetivo de explicar ao povo exilado por que razão aquela tragédia nacional havia acontecido: não porque Deus tivesse falhado com seu povo, mas porque o povo falhara com Deus.

RESUMO

O início do livro e metade de seu espaço total (1—11) tratam do reinado de Salomão, sem dúvida o apogeu da glória de Israel. Embora Salomão tenha sido o sucessor escolhido por Davi, ele teve de primeiro vencer a disputa pelo trono com Adonias, seu meio-irmão. Depois de garantir a coroa, Salomão pede a Deus sabedoria para governar bem, o que Deus lhe concede. Em seguida, o livro menciona sua sabedoria fenomenal, imensa riqueza e a realização máxima ao erguer o santuário nacional de Israel, o Templo. Ele também é implicitamente criticado por acumular poder militar, riqueza e numerosas esposas, tudo isso em violação da clara proibição de Deus (Dt 17.16,17). Essas muitas esposas levam Salomão à idolatria, o que faz com que Deus tire grande parte do reino das mãos da dinastia davídica.

Os capítulos de 12 a 14 narram a divisão de Israel em dois reinos, com Judá, no Sul, seguindo a dinastia de Davi, e Israel, no Norte, maior e mais poderoso, seguindo outra dinastia de reis. Deus entrega a coroa do Norte primeiro a Jeroboão, ex-oficial de Salomão, por causa de sua lealdade a Deus. Contudo, posteriormente, Jeroboão estabelece um sistema religioso rival no Norte, violando o mandamento de Deus de adorar apenas em Jerusalém (veja Dt 12). Todos os reis do Norte, a partir de então, apoiaram esse sistema herético e, portanto, fizeram "o que era mau aos olhos do SENHOR" (1Rs 15.26).

Os capítulos de 15 a 22 comentam alternadamente os reinados dos reis do Norte e do Sul, enfatizando de forma resumida a lealdade ou deslealdade de cada governante a Deus e observando quaisquer realizações particulares ou outros eventos significativos que ocorreram durante seu reinado. O governo de um dos reis do Norte, Acabe, marca um momento crítico. Influenciado por sua esposa fenícia, Jezabel, Acabe impele Israel a adorar o deus cananeu Baal; Deus levanta o profeta Elias para exortar a nação a permanecer fiel a ele. Com o poder do Senhor, Elias vence o dramático encontro com os profetas de Baal no monte Carmelo, mas nem assim consegue desviar Israel de seu caminho destrutivo em direção à apostasia e ao Exílio.

MENSAGEM

☐ *Deus espera que seu povo obedeça às suas ordens*

Deus deixou claro que esperava que seu povo adorasse somente a ele e somente do modo que havia prescrito. Também disse aos israelitas que prestassem atenção às advertências de seus profetas. Tanto os reis quanto o povo falharam nessas duas áreas. Embora durante séculos ele retivesse pacientemente o juízo (conquista por potências estrangeiras e Exílio), certamente haveria consequências, porque o povo não se arrependeu.

☐ *Os líderes têm responsabilidade ainda maior por suas ações*

A lealdade espiritual e a liderança eficaz de Davi e, por algum um tempo, de Salomão, trazem à nação a honra e a segurança que Deus deseja para seu povo. Mas a deslealdade subsequente de reis e do povo leva a divisão e fraqueza e, no fim, resulta em expulsão de sua amada pátria. Todo o povo de Deus tem a responsabilidade de seguir os mandamentos decorrentes da aliança nacional com Deus. No entanto, como líderes ungidos por Deus, os reis têm uma responsabilidade maior. Por meio de Moisés, Deus estabeleceu diretrizes específicas para os futuros governantes (Dt 17.16,17) muito antes do surgimento do primeiro rei de Israel, e nenhum rei está dispensado ou isento de seguir o que o Senhor determinou.

Hoje não temos mais alianças nacionais específicas com Deus, mas suas regras gerais de conduta ainda se aplicam (p. ex., Pv 14.34). Ainda que ele espere muitos anos para fazer recair sobre nós as consequências de nossas ações erradas, sua justiça é certa. Se lhe desobedecermos, certamente colheremos resultados negativos.

2REIS

CONTEXTO

Veja "Contexto (1 e 2Reis)" em 1Reis.

RESUMO

O livro de 2Reis continua a trágica história do que aconteceu com os reinos de Israel e de Judá — a nação fundada por Deus com sua dinastia de reis a quem ele havia prometido governo perpétuo. Aquela nação, embora abençoada como nenhuma outra, já havia sofrido divisão; agora passaria por um declínio ainda maior e, finalmente, sofreria conquista e exílio. O livro de 2Reis conclui a história até o Exílio (do Reino do Norte pela Assíria e do Reino do Sul pela Babilônia) e explica o porquê de um fim tão inglório.

Os capítulos de 1 a 8 relatam os ministérios dos profetas Elias e Eliseu. Eles procuraram impedir a nação de adorar o deus cananeu Baal e restaurar a adoração fiel ao Senhor. Essas histórias continuam enfatizando o poder milagroso dos profetas e a veracidade de suas mensagens preditivas.

Os capítulos de 9 a 17 narram a história dos Reinos do Norte e do Sul (Israel e Judá) até o reino de Israel ser conquistado pelo poderoso reino da Assíria. O autor enfatiza a impureza religiosa generalizada dos reis, especialmente no Norte, onde dão continuidade ao sistema herético que Jeroboão havia estabelecido. Mais tarde, Acabe leva seu reino à adoração direta a Baal. Em resposta, Deus usa Jeú, um general, para usurpar o trono e aniquilar a linhagem de Acabe. Os reis do Sul mostram variados níveis de fidelidade na adoração — por exemplo, Josias renova o Templo de Deus, mas Manassés sacrifica seu próprio filho a um deus pagão.

Durante esse período, os dois reinos enfrentam constante turbulência, tanto por causas internas quanto externas. No Norte, ocorrem vários golpes políticos com consequentes mudanças nas linhas de dinastia. Embora o Sul desfrute da estabilidade do domínio da dinastia davídica, em certo ponto Atalia, a rainha-mãe, quase destrói o resto de sua família para assumir o trono. Além disso, o reino arameu ao norte está frequentemente em guerra com Israel e, às vezes, com Judá. Então, no século 8 a.C., os reinos mesopotâmicos mais distantes, a Assíria e a Babilônia, começam a criar impacto em Israel e Judá e, mais tarde assumem a posição de potências dominantes. Em 721 a.C., o Reino do Norte, Israel, é conquistado pela Assíria, e grande parte de sua população é deportada.

Os capítulos de 18 a 25 relembram o último século e meio da história de Judá após a queda de Israel. Nesse ínterim o Reino do Sul é abençoado pelos reinados de Ezequias e de Josias, dois reis piedosos que seguem os mandamentos do Senhor, mas infelizmente eles são casos excepcionais. Em sua maioria, os reis de Judá são cronicamente infiéis — alguns até erguem altares para deuses estrangeiros no Templo de Yahweh. Finalmente, Deus usa a Babilônia para conquistar Judá e destruir Jerusalém e o templo, em 586 a.C. Mesmo assim, Deus não terminou com seu povo. Da mesma forma que os profetas haviam previsto esse Exílio, eles também predisseram a restauração posterior. O Deus fiel que cumpriu sua promessa de punir a desobediência restauraria fielmente os que haviam sido humilhados.

MENSAGEM

☐ ***Por que Israel e Judá foram conquistados e exilados***

O autor de 2Reis escreveu para explicar claramente por que a nação havia passado pelo sofrimento da conquista e do Exílio: “Tudo isso aconteceu porque os israelitas haviam pecado contra o SENHOR [...] Cultuaram outros deuses [...] O SENHOR advertiu Israel e Judá por meio de todos os seus profetas [...] Mas eles não quiseram ouvir [...] Portanto o SENHOR [...] os expulsou de sua presença..." (17.7-18).

☐ ***Os reis de Israel falharam, mas ainda resta a esperança da promessa***

Os reis de Israel e de Judá, em sua maioria, não estão à altura de seu chamado, e essas falhas são uma das principais causas do Exílio. No entanto, 2Reis conclui com Joaquim, um dos últimos reis de Judá, sendo liberto da prisão no Exílio, projetando esperança para o futuro do povo de Deus e até para a linhagem davídica. Os pecados dos israelitas não acabam com os planos misericordiosos que Deus tem para eles. Deus os restabelecerá em sua terra, e um dos descendentes de Davi reinará para sempre. No futuro de Israel, haverá um momento em que Deus levantará um "Filho de Davi" (Jesus) verdadeiramente justo, cujo reino perfeito nunca terminará.

A esperança que 2Reis dá à linhagem davídica e ao povo de Deus é uma promessa que culminará em Jesus, o Rei dos reis. Em sua primeira vinda, Jesus sofre para cobrir nosso pecado. Quando voltar, ele estabelecerá seu glorioso reino eterno (Ap 20—22). O interminável domínio davídico será integralmente cumprido. O povo de Deus será totalmente abençoado.

1CRÔNICAS

CONTEXTO (1 E 2CRÔNICAS)

À primeira vista, 1 e 2Crônicas parecem principalmente repetir muitas das informações de 1 e 2Reis, e apenas a longa seção genealógica no início de 1Crônicas se destaca como material novo. Se para muitos leitores modernos a repetição e a longa genealogia são desafios, não se pode dizer o mesmo do público original.

Esses livros foram escritos por um autor desconhecido para os que haviam retornado recentemente do Exílio babilônico e precisavam muito de esperança. Os livros anteriores, 1 e 2Reis, haviam explicado ao povo *durante* o Exílio que eles tinham sido conquistados e exilados por causa de seu pecado e da quebra da aliança com Deus. Agora, os que voltaram para sua terra *após* o Exílio precisavam de encorajamento para enfrentar os desafios futuros. Eles sobreviveram, mas voltaram para uma Judá menor, mais pobre e com sérias dificuldades. Eles precisavam lembrar e saber que as promessas de Deus sobre Davi e o Templo ofereciam esperança de um futuro melhor, incluindo um líder que viria (o Messias).

Assim como os livros de Samuel e Reis, Crônicas foi inicialmente escrito como um único livro, e depois dividido, por uma questão de conveniência, antes do tempo de Cristo.

RESUMO

Embora 1 e 2Crônicas recontem a história de Israel, há várias diferenças importantes. Crônicas, por exemplo, usa a genealogia para ligar seus leitores ao passado, ajudando, assim, os que retornam do Exílio a restabelecer grande parte do tecido de sua sociedade. Além disso, Crônicas se concentra em Judá e na dinastia davídica, e principalmente nos aspectos positivos dos reis do passado, especialmente Davi e Salomão.

A longa genealogia que abre 1Crônicas (1—9) traça a hereditariedade dos judaítas — ou judeus — sobreviventes até Adão. Isso ajudou a ancorá-los historicamente e definiu as linhagens tribais dentro da nação. Grande parte de sua cultura era baseada em laços familiares, como direitos de propriedade e posição, obrigações militares e outras. Quando o reino foi derrubado e a maioria do povo foi banido da terra, grande parte da população foi exterminada, registros foram perdidos e a infraestrutura do país foi severamente danificada. Como eles poderiam reconstruir e seguir em frente? Em parte se reestruturando ao longo da genealogia das famílias.

A outra parte importante de 1Crônicas (10—29) inicia essa história com uma longa seção sobre Davi, que omite a maioria dos episódios negativos registrados em Reis e destaca seus sucessos — especialmente seus preparativos para a construção do Templo. Acontecimentos iniciais, como a transição do governo de Saul para Davi e a conquista de Jerusalém por Davi servem principalmente para preparar o terreno para o planejamento do templo. Quando Deus não permitiu que Davi o construísse, o rei fez extensos preparativos, incluindo planos, materiais e organização, e os transmitiu a seu filho Salomão, juntamente com a incumbência de concluir o projeto. O livro de 1Crônicas termina com os dois maiores reis de Israel trabalhando em conjunto para estabelecer o local onde a nação adoraria a Deus.

MENSAGEM

☐ ***O Primeiro Templo pode encorajar a construção de seu substituto***

O autor enfatiza os melhores aspectos dos melhores reis para ressaltar dois desenvolvimentos que ajudarão os judeus nos dias que estão por vir. Em primeiro lugar, ele destaca quais foram os preparativos para o Primeiro Templo para encorajar os que retornaram do Exílio a construir o segundo. Séculos antes, os maiores líderes de Israel haviam construído um grande templo, no auge da glória nacional do reino. Aquele templo foi destruído, e Deus agora estava ordenando que os israelitas o reconstruíssem (veja também o capítulo sobre Esdras). A narrativa sobre o templo original tinha o objetivo de inspirá-los a cumprir essa tarefa; mesmo que a nação estivesse agora muito mais pobre do que antes, Deus faria com que o projeto tivesse êxito.

☐ ***Ao abençoarem o povo de Deus, Davi e Salomão prefiguram o Messias***

O capítulo 17 registra a promessa de Deus a Davi segundo a qual ele teria uma linha de sucessão eterna. O pecado de Israel e o Exílio resultante interromperam o governo dessa dinastia e as bênçãos trazidas para Israel, mas não cancelaram a promessa. Deus restauraria a linhagem de Davi, e um futuro descendente ungido abençoaria Israel como Davi e Salomão haviam feito, e muito mais. Como o autor sugere, o Messias exibirá as melhores qualidades daqueles reis.

Deus usou 1Crônicas para dar a seus leitores originais esperança em relação ao futuro. Ele os lembrou do que havia feito no passado: especificamente em relação ao seu estabelecimento como povo e em como os havia abençoado para que pudessem construir o Templo. Os cristãos de hoje que olham para o que Deus fez pelos israelitas também devem ser encorajados e fortalecidos em sua fé de que ele guiará e abençoará o futuro deles da mesma forma.

2CRÔNICAS

CONTEXTO

Veja "Contexto (1 e 2Crônicas)" em 1Crônicas.

RESUMO

A segunda parte de Crônicas mantém o foco em Davi e em Salomão para encorajar seus leitores. A seção mais longa (1—9) narra o reinado de Salomão, destacando sua sabedoria e riqueza, assim como a construção do Primeiro Templo da nação. Portanto, mais da metade de 1 e 2Crônicas é dedicada a esses dois reis, com o objetivo de usar a lembrança da grandeza que o país tivera anteriormente para inspirar sua audiência, que enfrentava grandes desafios. Deus restauraria o domínio à dinastia davídica. O povo, com a esperança depositada em Deus, poderia contar com um governante messiânico que devolveria a glória a Israel.

Uma curta seção a seguir (10—12) destaca acontecimentos do reinado do filho de Salomão, Roboão, incluindo decisões tolas que ajudaram a precipitar a divisão de Israel, bem como seu próprio fracasso em seguir fielmente a lei de Deus. No entanto, o texto também nota sua humildade quando repreendido profeticamente, o que resultou na misericórdia de Deus.

O governo de Roboão formou uma espécie de padrão para os governantes do Sul que o sucederam (13—36). Quando eles desobedeciam a Deus, especialmente se voltando para a idolatria, ele os punia. Quando obedeciam, particularmente ao levar a nação a adorar a Deus corretamente, ele os abençoava. Infelizmente, o primeiro caso foi muito mais comum que o segundo, culminando na conquista pela Babilônia e, finalmente, no Exílio.

MENSAGEM

□ ***O pecado tem consequências***

A recapitulação histórica do livro ilustra claramente os efeitos do pecado, tanto para os reis individualmente quanto para a nação como um todo. Os reis que erram, sofrem durante a vida. Os efeitos cumulativos dos pecados da nação se refletem ao longo de sua história: perda de glória, riqueza, saúde, liberdade e bênçãos e, algumas vezes, da própria vida.

□ ***Deus sempre está disposto a perdoar e restaurar***

No entanto, embora Deus garanta que os atos de incredulidade praticados por reis e povos tenham consequências, ele também os perdoa quando se arrependem. Os reis que se humilham e se arrependem recebem a misericórdia divina, assim como as nações: Deus perdoa seus pecados e depois os restabelece em sua terra. Na época em que o livro de Crônicas foi escrito, Deus promete não apenas ajudar os judeus a sobreviver às dificuldades que estão enfrentando, mas também trazer-lhes mais bênçãos no futuro.

Os cristãos de hoje não se relacionam com Deus por meio da aliança mosaica, como era o caso de Israel. No entanto, da mesma forma que o pecado ainda tem consequências, Deus ainda está pronto a perdoar e restaurar quando nos humilhamos e nos arrependemos.

ESDRAS

CONTEXTO

O livro de Esdras relata acontecimentos que se dão desde fim do século 6 até o fim do século 5 a.C., um período de grande agitação no antigo Oriente Próximo. Ciro, o Grande, rei da Pérsia, havia conquistado a Babilônia (em 539 a.C.) e anexado ao seu império as muitas terras e povos que os babilônios haviam conquistado anteriormente. Ciro decretou que todos os povos exilados, incluindo os judeus, podiam agora voltar para suas terras. O livro de Esdras começa com esse decreto e segue narrando o período em que os judeus exilados retornam à sua terra e procuram restaurar seus lares, sua vida e especialmente sua adoração a Deus.

A primeira parte do livro é escrita como uma história do retorno judaico do Exílio (séc. 6). A segunda parte é composta de memórias pessoais de Esdras, o sacerdote e escriba que descreve suas atividades (séc. 5) no esforço de restauração do povo judeu. Ele também pode ter escrito a parte anterior, ou talvez outra pessoa tenha compilado o livro enquanto ele estava vivo ou pouco depois de sua morte (c. 430 a.C.), próximo do fim da história do Antigo Testamento.

RESUMO

Os capítulos de 1 a 6 narram como um grupo de judeus volta do Cativeiro e reconstrói seu Templo, apesar de inúmeras dificuldades.

O decreto de Ciro (539 a.C.), que permite o retorno do povo, cumpre profecias judaicas (Is 44.28; Jr 29.10).

Em 538 a.C., cinquenta mil judeus fazem a longa jornada de volta à Judeia e começam imediatamente a trabalhar para restabelecer o culto nas ruínas do Templo. Liderados por seu governador judeu, Zorobabel, e por Josué, um sacerdote, eles reconstroem o altar do sacrifício no pátio do templo e começam os sacrifícios, conforme a prescrição na Lei mosaica. Eles também lançam os alicerces do novo templo.

Os povos vizinhos prontamente começam a fazer forte oposição à obra de reconstrução. Durante o Exílio, os líderes desses grupos vizinhos haviam desfrutado de posições de poder na região; uma presença judaica ressurgente ameaçava esse *status quo*. Os oponentes convencem o rei persa a impedir que os judeus terminem o Templo.

Os judeus finalmente recuperam a permissão do rei Dario e, em 516 a.C., concluem o trabalho. Os exilados que regressaram celebram a dedicação do Templo, pois significa a presença de Deus entre eles, bem como sua renovada lealdade a ele.

Nos capítulos de 7 a 10 (458-c. 433 a.C.), Esdras menciona como, mais tarde, liderou um grupo menor de judeus que voltaram para sua terra e relata seus esforços subsequentes para reformar a prática religiosa e social judaica. Antes de Esdras partir para Judá, o rei Artaxerxes encarrega-o da missão de retornar e ajudar a reviver o culto judaico, dando-lhe dinheiro para financiar esses esforços. Terminada a viagem de quatro meses, Esdras e seu grupo usam os fundos persas para comprar animais para sacrifício e suprir outras necessidades.

Esdras descobre que tem de enfrentar um grande problema: os judeus estão se casando com pessoas dos povos locais que servem a ídolos. Assim como os israelitas anteriores precisavam evitar se misturar com os cananeus, aqueles que retornaram agora têm de evitar tentação semelhante. Se não o fizerem, seus filhos serão atraídos para a idolatria e rejeitarão a Deus, que foi exatamente o que provocou o Exílio. O livro termina quando Esdras leva o povo a confessar esse pecado; o assunto é tão grave, que ele ordena aos culpados que se divorciem de suas esposas pagãs.

MENSAGEM

☐ ***Deus cumpre suas promessas fielmente***

Deus havia cumprido sua advertência de que exilaria os israelitas, se não fossem fiéis a ele (Dt 28.36); agora, ele cumpre sua promessa de trazê-los de volta. O rei Ciro pode pensar que é ele quem está permitindo que os exilados retornem para promover uma lealdade generalizada ao seu império por meio de políticas mais complacentes; mas ele também o faz "a fim de que se cumpra a palavra do SENHOR" (Ed 1.1; cf. Is 44.28; Jr 29.10).

☐ ***O povo de Deus deve demonstrar fidelidade a ele***

Depois que Deus cumpre essas promessas que havia feito ao seu povo, é preciso que eles respondam com fidelidade ao que ele lhes pede. Nesse caso, eles precisam reconstruir o Templo, apesar da oposição, da falta de recursos e das prioridades concorrentes, ao mesmo tempo em que tentam reconstruir sua sociedade. Eles devem especialmente permanecer fiéis ao mandamento divino de evitar se casar com os povos idólatras que os rodeiam.

Não importa o quanto a nossa situação e as nossas circunstâncias sejam diferentes hoje em dia, Deus é sempre fiel a nós, e precisamos ser fiéis a ele. Ele não nos chama para contribuir financeiramente para a construção de um templo em Jerusalém, mas pode nos chamar para doar sacrificialmente a outras áreas de seu trabalho constante — talvez por meio de nossa igreja ou de outros ministérios. E, embora não sejamos tentados a casar com pagãos cananeus, devemos resistir às tentações de influências corruptas.

NEEMIAS

CONTEXTO

O livro de Neemias registra como Deus continua a restabelecer seu povo em sua terra natal, depois do Cativeiro Babilônico, principalmente por meio da liderança eficaz do governador Neemias. O livro recebe o nome de seu personagem principal, um judeu nascido no Exílio e que desempenha funções importantes no governo da Pérsia. O rei Artaxerxes autoriza Neemias a retornar como governador para ajudar a restaurar Judá, um estado vassalo no vasto Império Persa. O livro narra as lutas e os sucessos de Neemias no cumprimento da tarefa que o rei (e Deus) o incumbe de realizar.

De forma bem semelhante ao livro de Esdras, Neemias narra acontecimentos que se dão por volta de 445-432 a.C. (veja tb. o "Contexto" de Esdras). Assim como Esdras, o livro de Neemias inclui memórias pessoais, além de várias listas e outros materiais históricos. O compilador original, possivelmente Esdras, aparentemente produziu Esdras e Neemias como um trabalho único, pois os primeiros manuscritos os tratam como uma unidade; somente depois, quando traduzidos, eles foram separados. Os dois livros narram como os judeus fiéis trabalharam sob a proteção e as bênçãos de Deus para ajudar a restaurar o povo da aliança.

RESUMO

Os capítulos de 1 a 6 descrevem os esforços e desafios que Neemias enfrentou para restaurar fisicamente Jerusalém, a capital de sua terra natal ancestral. No início do livro, ele está servindo o rei persa como copeiro, uma posição de grande responsabilidade e confiança. Ao ouvir que os judeus que retornaram a Jerusalém não haviam conseguido reconstruir os muros da cidade, Neemias se sente impelido a agir. Ele obtém a aprovação do rei para retornar como governador da província persa que inclui a Judeia e faz a jornada de volta à cidade, encontrando-a gravemente danificada. Ele faz, em particular, um reconhecimento noturno para avaliar o que é preciso para reconstruir as muralhas — elemento essencial para proteger os habitantes de uma cidade na Antiguidade — e permitir que ela se torne novamente próspera.

Neemias, então, reúne o povo, exorta-o a juntar-se a ele na reconstrução dos muros e enfrenta subsequente resistência, de dentro e de fora. A resistência externa vem de autoridades vizinhas que desfrutavam de posições de poder na administração local; elas não querem uma presença judaica ressurgente que possa diminuir seu poder. Esses homens ameaçam fisicamente os construtores e zombam de seus esforços: "Será que vão conseguir ressuscitar pedras de construção daqueles montes de entulho e pedras queimadas? [...] O que estão construindo, até uma raposa, ao subir em seu muro de pedras, derrubaria!" (4.2,3). Além de tudo isso, surgem problemas internos, porque judeus ricos começam a explorar os judeus pobres. Neemias vence todos esses obstáculos empregando uma defesa eficaz contra os povos estrangeiros e promovendo uma reforma econômica para combater a injustiça entre seu próprio povo; a muralha de Jerusalém é concluída em menos de dois meses.

Os capítulos de 7 a 13 relatam os esforços empreendidos por Neemias posteriormente para reconstruir a sociedade judaica ao lado de Esdras. Ele inicia um movimento para trazer mais pessoas para se estabelecerem em Jerusalém e nas aldeias vizinhas. O sacerdote Esdras lê e ensina a Bíblia, levando o povo a renovar sua aliança nacional com Deus. Neemias viaja à Pérsia temporariamente e, ao retornar à Judeia, descobre que precisa resolver o problema das constantes falhas morais e espirituais do povo. Entre elas, não honrar o *Sabbath*, casar-se com estrangeiros (que não guardavam a aliança com Deus) e negligenciar dízimos e ofertas. O livro termina mostrando Neemias frustrado com esses problemas, ilustrando os desafios contínuos que ele enfrenta ao tentar conduzir o povo de Deus a uma vida fiel.

MENSAGEM

□ ***Líderes eficientes realizam tarefas para Deus***

Ao ser informado das necessidades dos que estão na Judeia, Neemias entende o que deve ser feito e trabalha de maneira eficaz e persistente para a realização da tarefa. Ele obtém a aprovação governamental necessária, reúne informações e recursos, planeja tudo corretamente, convoca seu povo e o motiva a participar do trabalho, soluciona problemas à medida que surgem e realiza com êxito a tarefa que Deus lhe confiou. Esse trabalho faz avançar significativamente os propósitos de Deus para o seu povo no tempo de Neemias e no lugar onde ele se encontrava, assim como outros líderes eficazes fazem em sua própria época e lugar.

□ ***A oposição vem tanto de dentro quanto de fora***

Neemias dedica-se à tarefa certa da maneira certa, mas ainda assim enfrenta desafios — tanto dentro quanto fora de sua comunidade. Todos os cristãos em posições de liderança devem esperar resistência por parte dos que não compreendem ou talvez se oponham opor aos propósitos de Deus. Os líderes também não devem se surpreender com os problemas ou mesmo com a oposição direta de seus irmãos. O interesse próprio, a diferença de perspectiva e a confusão gerada pela natureza humana corrompida podem produzir discórdia entre os crentes.

Quando servimos como líderes que procuram ajudar a cumprir os propósitos de Deus, precisamos ter uma imagem clara do que Deus nos chama a fazer e precisamos trabalhar com habilidade e diligência para seguir seus planos. Quando fazemos parte do grupo de pessoas que pertencem a Deus, independentemente do cargo que ocupemos, precisamos nos esforçar para ajudar o grupo a alcançar seus objetivos, em vez de criar obstáculos ao sucesso mútuo.

ESTER

CONTEXTO

O livro de Ester registra como Deus preserva o povo judeu de um perigo gravíssimo que ameaça sua própria existência, no século 5 a.C. Uma moça judia torna-se rainha do Império Persa, corajosamente ajuda a salvar seu povo de uma terrível ameaça e inaugura a festa judaica do Purim.

O livro de Ester se passa durante o reinado de Assuero (seu nome grego era Xerxes), que governou a Pérsia em sua período áureo (485-465 a.C.). O autor é desconhecido, embora sua familiaridade com os costumes judaicos e persas sugira que ele possa ter sido um judeu que viveu em Susã, a capital persa, e escreveu o livro por volta de 460 a.C., não muito depois dos acontecimentos narrados. Os judeus retratados nessa história permaneceram no Exílio após o grupo liderado por Zorobabel ter retornado a Judá, em 538 a.C. (cf. Ed 1 e 2) e antes dos retornos liderados por Esdras e Neemias (c. 440 a.C.). O livro conta a história de uma bela e corajosa heroína que salva seu povo de um vilão cruel e narra reviravoltas dramáticas que permitem ao bem triunfar sobre o mal.

RESUMO

Os capítulos de 1 a 5 apresentam os personagens principais, mostram como Ester chegou à sua surpreendente posição de poder e explicam a ameaça aos judeus, criada por um descendente de um de seus inimigos antigos. No início do livro, o rei está dando um banquete suntuoso, talvez um pouco antes de sua infeliz tentativa de invadir a Grécia, em 480 a.C. Durante o que deveria ter sido uma demonstração de seu poder, a rainha Vasti afronta a autoridade do rei, recusando-se a comparecer conforme determinado na convocação que recebera. Por isso, Assuero a destitui, e a busca por uma substituta põe Ester, a judia, no palácio real. Ela ganha o favor do rei e é nomeada rainha da Pérsia, sem que Assuero saiba sua origem étnica. O tutor de Ester, Mardoqueu, trabalha no portão do complexo real, um local que lhe permite ouvir e frustrar uma trama para assassinar o rei.

O autor registra que Mardoqueu é da tribo israelita de Benjamim e, além disso, descende de Quis e Simei (2.5), ligando-o claramente a Saul, o primeiro rei de Israel (1Sm 9.1; 2Sm 16.5). Essa conexão contrasta com o inimigo mortal dos judeus, Hamã, um agagita, aparentemente descendente de Agague, um adversário de Saul e de Israel (1Sm 15). Essa antiga animosidade ressurge nos dias de Ester no ódio de Hamã por Mardoqueu. Usando sua posição de conselheiro real, Hamã tira proveito da confiança do rei e conspira para exterminar não apenas Mardoqueu, mas todos os judeus do império. Em resposta, Mardoqueu pede a ajuda de sua prima, a rainha, cuja capacidade de ajudar poderia ser limitada pela falta de acesso ao rei.

A ação continua, e a ameaça é resolvida nos capítulos de 6 a 10. Uma série de supostas coincidências e cronologia imprevisível se combinam para criar várias reversões que fazem com que, no fim, Mardoqueu ocupe a posição que anteriormente pertencia ao inimigo e os judeus sobrevivam à ameaça.

Certa noite, Assuero não consegue dormir e, por isso, chama um escriba para que leia os anais reais. Ao descobrir que Mardoqueu não havia sido recompensado por salvar sua vida anteriormente, o rei decide honrar o primo de Ester. Hamã chega naquele momento, pensando em obter a permissão do rei para executar Mardoqueu; em vez disso, Assuero ordena que Hamã honre Mardoqueu. Embora humilhado pelo que tem de fazer, Hamã se consola com a honra de ter sido convidado para um banquete preparado pela rainha apenas para o rei e para ele. No entanto, em um segundo banquete, Ester expõe sua origem étnica e o perigo que ameaça a vida dela e de seu povo. Furioso por ter sido enganado, Assuero também testemunha o que interpreta como ataque físico de Hamã a Ester e ordena a imediata execução de Hamã.

O rei, então, concede a Mardoqueu as propriedades e a posição de seu antigo inimigo, contudo, como Assuero havia assinado o decreto de Hamã, a ameaça aos judeus permanece. Um decreto persa como aquele não pode ser cancelado; Mardoqueu emite um segundo decreto real que permite aos judeus se defenderem, no dia do ataque planejado contra eles. Muitas pessoas morrem, mas o povo judeu sobrevive à ameaça. Ester proclama um memorial perpétuo dessa libertação — a Festa do Purim, cujo nome deriva da palavra persa *pur* (plural *purim*), que significa as *sortes* que Hamã havia lançado para destruí-los.

MENSAGEM

☐ *Deus permite acontecimentos ruins, mas usa-os para trazer benefícios*

Esse livro registra muitos acontecimentos ruins que sobrevêm aos judeus: o exílio, a servidão aos reinos pagãos, Ester levada para o harém de um rei e a ameaça assassina imposta por uma autoridade perversa. No entanto, Deus faz com que os acontecimentos funcionem para o benefício final de seu povo. Nem todos sobrevivem, alguns saem feridos, mas, no final, os bons propósitos de Deus prevalecem.

☐ *Deus governa de forma soberana, mas dirige secretamente os acontecimentos como julga melhor*

Embora a mão soberana de Deus seja evidente nos acontecimentos narrados em Ester, o autor não a aponta abertamente. De fato, em nenhum lugar o livro menciona Deus, oração, adoração, sacrifício ou a aliança mosaica. Por causa dessas omissões, alguns questionaram se Ester pertence à Bíblia. O autor parece destacar a atividade de Deus ao mostrar que ele está trabalhando sem realmente declará-la.

□ ***Deus livra seu povo de ataques incessantes***

Assim como o ataque de Hamã contra Mardoqueu e os judeus ecoava a animosidade anterior entre Saul e Agague, os judeus ao longo da história têm aprendido que são alvo de um ódio incessante. Se o plano de Hamã tivesse sido bem-sucedido, eles teriam sido exterminados, encerrando a obra de Deus por meio deles, o que inclui o Messias que viria. Satanás continua sua guerra contra os propósitos de Deus, incluindo tentativas de acabar com o povo da aliança.

Deus trabalhou para ajudar seu povo e realizar seus propósitos nessa história. Da mesma forma, ele guia os acontecimentos hoje, às vezes de maneira dramática, porém geralmente de forma mais sutil, fazendo com que a história se desenvolva para cumprir seus desígnios. O povo de Deus deve descansar e viver com a certeza de que o rei do universo está no controle.

JÓ

CONTEXTO

O livro de Jó, um dos mais ricos da Bíblia teologicamente analisa por que as pessoas às vezes sofrem de maneiras que não merecem, como elas devem responder ao sofrimento e onde podem obter a sabedoria para encarar os testes e as provações da vida. A discussão desses assuntos está entrelaçada no tecido de uma poética e antiga disputa teológica que muitos leitores de hoje acham difícil desvendar.

Até o contexto apresenta desafios. Jó adora o único Deus verdadeiro, mas aparentemente não era israelita. Ele vive em Uz (1.1), a região sul da Transjordânia, mais tarde conhecida como Edom. Os acontecimentos parecem ter ocorrido no tempo de Abraão (c. 2000 a.C.), pois, como muitos patriarcas, Jó viveu até bem depois dos 140 anos; ele agia como sacerdote, oferecendo sacrifícios por sua família (o que foi proibido após a Lei mosaica); e sua riqueza era medida pelo número de animais que possuía. Alguns especulam que o autor desconhecido pode ter sido Moisés; quem quer que tenha sido o autor, aparentemente conhecia áreas tão diversas quanto astronomia, mineração e a natureza de modo geral. Ele aborda alguns dos assuntos mais desconcertantes da vida, ajudando seus leitores a explorar os limites do que os seres humanos têm condições de saber e como devemos lidar com nossos dilemas mais inquietantes.

RESUMO

O livro começa e termina com breves seções de prosa simples que emolduram seu grande cerne poético. A introdução (caps. 1 e 2) apresenta primeiramente Jó como um homem muito rico e reto, claramente abençoado por Deus. Em seguida, narra uma conversa surpreendente entre Deus e Satanás (o Acusador), em que Deus aponta Jó como justo, e Satanás argumenta que ele só é bom por causa de tudo o que Deus lhe dá. Quando Deus concede a Satanás permissão para tirar a riqueza de Jó, e até seus filhos, Jó responde com fé e confiança: "O SENHOR o deu, e o SENHOR o tirou; louvado seja o nome do SENHOR" (1.21). Derrotado, mas não desanimado, Satanás recebe permissão para ir mais longe e tirar a saúde de Jó, mas este responde piedosamente: "Receberemos o bem que vem de Deus, e não as aflições?" (2.10). Três homens vêm consolar seu amigo sofredor; primeiro eles choram, depois sentam-se com ele sete dias em silêncio.

As atitudes por trás das respostas exemplares de Jó e seus amigos são detalhadas na segunda seção do livro (caps. 3—31). Jó quebra o silêncio para lamentar sua dor e maldizer o dia em que nasceu. Seus amigos respondem com conselhos bem-intencionados, mas errados. Eles partem do pressuposto de que a situação dele deve se encaixar no padrão em que a obediência aos mandamentos de Deus leva à bênção, e a desobediência resulta em sofrimento. Jó está sofrendo; portanto, deve ter pecado. Da perspectiva deles, Jó precisa se arrepender.

Aparentemente desconhecendo o diálogo cósmico entre Deus e Satanás, no qual tem um papel fundamental, Jó alega, com razão, ser inocente de qualquer erro que possa ter causado seu sofrimento. Ele e seus amigos se envolvem em um debate cada vez mais acalorado sobre a fonte de seu sofrimento e a solução necessária. A seção termina com os dois lados convencidos de que estão certos, mas incapazes de provar que o outro está errado, e Jó deseja ter a chance de confrontar Deus e acusá-lo de permitir que ele sofresse injustamente.

O livro aproxima-se da conclusão com as palavras de um quarto amigo (caps. 32—37). Eliú, que estava em silêncio até esse ponto, repreende os outros por não serem capazes de provar a culpa de Jó, mas também repreende Jó por acusar Deus de fazer algo errado: "Longe de Deus esteja fazer o mal..." (34.10). Eliú muda corretamente o foco da disputa da situação de Jó para a necessidade de olhar para Deus como a fonte final de sabedoria, mas seus discursos não resolvem o problema. Cada um dos cinco entende parte da situação; nenhum é suficientemente sábio para resolver o dilema de Jó.

Deus finalmente resolve o problema falando com Jó de um forte vento (38.1—42.6). Ele não responde às perguntas de Jó e nem sequer lhe esclarece a causa de seu sofrimento. Em vez disso, Deus desafia Jó com uma série de perguntas, destacando sua incapacidade de criar, controlar ou mesmo explicar o mundo que Deus criou. Completamente arrasado por se considerar acima de Deus de alguma maneira, Jó se arrepende e se submete ao Deus soberano e onisciente. Embora suas perguntas não sejam respondidas, Jó reconhece os limites de sua sabedoria. Ele aceita que somente Deus pode entender completamente sua situação e que um ser humano limitado deve confiar que o Soberano supremamente sábio conhece e faz o que é melhor.

MENSAGEM

☐ *As pessoas podem sofrer de maneiras que não merecem nem entendem*

Os leitores do livro sabem desde o início por que Jó está sofrendo: *porque* ele é bom e faz parte do propósito maior de Deus. Aparentemente, Jó não sabe disso, mas aceita o fato de que não precisa saber. Ele aprende a confiar que Deus sabe o que ele ignora e sempre faz o que é melhor.

☐ *O comportamento nem SEMPRE corresponde aos resultados*

A Bíblia mostra que o comportamento correto é recompensado e o mau comportamento traz sofrimento — na maioria das vezes. No entanto, a Bíblia também inclui várias exceções a essa regra, e Jó é uma delas. A regra geral tem exceções; os amigos de Jó erraram por não reconhecer isso.

☐ ***Como o povo de Deus deve reagir ao sofrimento?***

Jó não consegue entender o motivo de seu sofrimento, então pergunta: “Por quê?”. Deus não o repreende por perguntar, mas fica descontente quando a frustração de Jó aumenta e ele passa a exigir que Deus lhe dê respostas. A criatura nunca deve se colocar acima do Criador, e um ser humano limitado jamais deve pensar que sabe tudo. Cada personagem na história entendeu uma parte da situação, mas nenhum entendeu o suficiente para apresentar uma solução. Eles precisavam confiar no Deus onisciente que conhecia toda a situação e poderia resolver o problema.

Assim como Jó, as pessoas de hoje às vezes sofrem de maneiras que não merecem e não conseguem entender. Nosso desafio é confiar que Deus conhece e faz o que é melhor em quaisquer circunstâncias — sempre. Precisamos ter humildade e reconhecer que, ainda que saibamos muito, não podemos ver toda a situação. Devemos pedir ao Deus onisciente e onipotente a sabedoria necessária para enfrentar os desafios da vida e aceitar o fato de que nunca podemos entender tudo completamente.

SALMOS

CONTEXTO

O livro de Salmos é talvez o mais amado da Bíblia, graças à sua poesia atemporal que reflete uma ampla gama de emoções humanas, incluindo tristeza, regozijo, amor, raiva, devoção, medo e confiança. Muitos de seus poemas também servem como orações que expressam as maravilhas e os desafios de se relacionar corretamente com Deus. Não é de surpreender que o Saltério tenha servido como livro de canções e de oração para o povo de Deus durante a maior parte do tempo em que a Bíblia estava sendo escrita, e mesmo depois disso.

Os 150 salmos (do grego, *psalmos*, "canção") foram escritos por muitos autores ao longo de aproximadamente dez séculos. Alguns são do tempo de Moisés (p. ex., Sl 90, talvez c. 1400 a.C.), outros são de data bem mais tardia, após o retorno do Exílio (p. ex., Sl 126, c. 400 a.C.), quando o Saltério pode ter atingido sua forma final. Muitos são anônimos; outros foram escritos por Moisés e Salomão; quase a metade é atribuída a Davi, o pastor de ovelhas musicalmente talentoso (1Sm 16.16-23) a quem Deus fez rei de Israel. Muitos começam com cabeçalhos que fornecem um ou mais dos seguintes detalhes sobre o salmo: autor, ocasião, tipo e/ou a melodia com que deveria ser cantado (todas as melodias se perderam). Outros dão pouca ou nenhuma informação sobre seu contexto original.

RESUMO

O livro está claramente dividido em cinco partes (1—41; 42—72; 73—89; 90—106; 107—150), mas a razão exata por trás dessa estrutura permanece incerta, pois as seções não parecem estar organizadas por autor, tema ou época da redação. A divisão em cinco partes pode estar simplesmente mantendo um paralelo com os cinco livros de Moisés (Gênesis—Deuteronômio), que estabelecem o fundamento da revelação de Deus e explicam como seu povo devia originalmente se relacionar com ele. É certo que o livro de Salmos ajuda o povo de Deus a continuar se relacionando bem com ele, e os salmos de lamento (lamentos gerais sobre a vida) predominam no início, enquanto os de louvor fecham o livro. Esse padrão pode servir para mostrar como podemos expressar sinceramente nossos problemas e depois louvar o bom Deus que governa o mundo e nossa vida.

Louvor, ação de graças e lamento são os três principais tipos de salmos. O primeiro expressa admiração e estima por Deus, por quem ele é e pelo que ele fez: "Quem é como o SENHOR, nosso Deus [...]? Ele do pó levanta o pobre" (113.5,7). O segundo é de agradecimento a Deus por sua resposta a um pedido anterior: "Busquei o SENHOR, e ele me respondeu" (34.4). E o terceiro, que pode ser individual ou coletivo, expressa angústia por causa de algum problema e também confiança de que Deus finalmente dará livramento: "Todos os meus inimigos [...] recuarão e serão repentinamente envergonhados" (6.10).

Há outros tipos menos comuns. Alguns celebram a lei de Deus: "A lei do SENHOR é perfeita e restaura a alma" (19.7). Alguns ensinam sabedoria: "Bem-aventurado aquele que não anda segundo o conselho dos ímpios" (1.1). Outros exaltam o governo de Deus na terra, por meio do rei davídico em Jerusalém: "Estabeleci o meu rei em Sião, meu santo monte" (2.6), ou no céu: "O SENHOR é Rei para todo o sempre" (10.16). Talvez o tipo mais difícil de ser apreciado pelos leitores modernos seja o salmo imprecatório, em que o salmista pede a Deus que amaldiçoe seus inimigos: "Feliz aquele que pegar os seus filhos e os esmagar contra as rochas" (137.9). Os inimigos do povo de Deus eram também inimigos de Deus.

Qualquer que seja o tipo, os salmos costumam usar figuras de linguagem para transmitir sua mensagem. Uma comparação pode ser explícita: "Os ímpios [...] são *como* a palha" (1.4) — ou implícita: "O SENHOR *é* meu pastor" (23.1). O leitor moderno faz bem se parar para refletir sobre o que essas imagens estão transmitindo: "como a palha" sugere que os ímpios e suas obras não se sustentam quando postos à prova pelos problemas; seus atos são tão transitórios quanto as leves cascas que envolvem os grãos dos cereais; elas são sopradas para longe pela brisa. O livro de Salmos também usa hipérboles para expressar emoções fortes: "Durante a noite inundo com pranto minha cama, com lágrimas encharco meu leito" (6.6). Isso pode expressar uma verdade, mas não literalmente — essa é a beleza da poesia e a dificuldade de interpretá-la corretamente. Outros artifícios poéticos, como jogos de palavras e acrósticos (nos quais versos sucessivos começam com letras sucessivas do alfabeto) são evidentes no hebraico original, mesmo que se percam na tradução.

MENSAGEM

☐ *Deus criou e comanda o mundo*

Ao contrário de todos os povos que os cercavam, os israelitas reconheciam um Deus singular que criou e governa o mundo inteiro. Nos salmos, eles reconheciam que ele criou tudo o que existe e dirige todas as coisas para atingir seus bons propósitos, embora seres humanos limitados e pecadores como eles possam ter dificuldade em compreender e se submeter à soberania divina.

☐ *Deus tem um relacionamento pactual com Israel*

O Criador escolheu e se comprometeu em aliança especialmente com o povo de Israel, que lutava para viver esse relacionamento da maneira certa. A pecaminosidade dos israelitas frequentemente interrompia o relacionamento; Deus estava disposto a perdoar, mas esperava que eles correspondessem obedecendo aos seus mandamentos revelados. Os salmistas às vezes não tinham certeza se estavam reconciliados com ele ou não sabiam o que fazer para obedecer como deveriam. Além disso, as dificuldades que enfrentavam muitas vezes não pareciam ser compatíveis com o controle soberano de um Deus bom. Eles lutavam para harmonizar sua experiência e sua teologia.

□ ***Deus conduzirá o mundo a um fim glorioso***

Embora todas as pessoas enfrentem dificuldades na vida, o povo de Deus naquele tempo sabia que ele finalmente conduziria o mundo ao seu fim legítimo — em que Deus governaria o mundo e todos os povos finalmente viveriam em harmonia e justiça, tanto com Deus como entre si. Até que esse dia chegasse, eles reconheciam a necessidade de viver em harmonia com Deus, individual e coletivamente, obedecendo e adorando somente a ele.

Os crentes contemporâneos se relacionam com Deus por meio de uma estrutura teológica diferente da que os antigos israelitas tinham, mas os objetivos e desafios permanecem basicamente os mesmos. Deus criou e dirige o mundo, mas criamos atrito com ele e com os outros por causa do nosso pecado. Deus perdoa nossos pecados, e nosso desafio é obedecer-lhe como ele merece. Podemos orar e cantar os salmos e, assim, nos unirmos aos crentes de todos os tempos e ao redor do mundo, expressando nossas alegrias e tristezas, fracassos e vitórias diante do nosso Deus bom e soberano.

PROVÉRBIOS

CONTEXTO

O livro de Provérbios é uma obra de literatura sapiencial escrita para ensinar ao povo de Deus a habilidade de viver bem, para que a vida produza bons resultados. Ao contrário dos livros sapienciais mais filosóficos de Jó e Eclesiastes, a maior parte de Provérbios aplica seus ensinamentos por meio de provérbios individuais — declarações memoráveis de duas a três linhas, contendo verdades práticas gerais sobre a vida. O livro é elaborado como se um homem mais velho e sábio ensinasse um homem mais jovem a viver a vida com sucesso, enfatizando o tipo de caráter e comportamento que ajuda a prosperar.

O livro de Provérbios consiste em várias coleções de discursos e provérbios compostos por várias pessoas. O autor principal, o grande rei Salomão (1.1), era conhecido por sua sabedoria e escreveu mais de três mil provérbios (1Rs 4.29-34). Coleções de seus provérbios compõem as principais seções do livro (10.1—22.16; 25.1—29.27 e talvez 1.8—9.18). Outra coleção é atribuída aos autores chamados de "os sábios" (22.17—24.34), enquanto alguns foram escritos por Agur (30.1-33) e pelo rei Lemuel (31.1-9), dos quais não se sabe mais nada. Algumas seções são anônimas (1.1-7; 31.10-31).

O livro em sua totalidade foi aparentemente compilado em algum momento depois que todos os seus autores escreveram as seções que lhes foram atribuídas. A maioria dos textos provavelmente data do reinado de Salomão, no século 10 a.C., durante a era de ouro de Israel, quando a literatura parecia florescer. Outras partes provavelmente foram escritas mais tarde (veja 25.1, c. sécs. 8/7 a.C.). O livro pode ter atingido sua forma definitiva no final da história do Antigo Testamento.

RESUMO

Entre as diferentes partes de Provérbios estão a breve introdução (1.1-7), uma seção de discursos sobre o valor da sabedoria (1.8—9.18), uma grande seção de provérbios independentes (10.1—31.9) e, finalmente, uma ode à quintessência da mulher virtuosa (31.10-31).

A introdução cita Salomão como o principal autor e explica que o livro ensinará seus leitores a entender a vida e a viver bem. Ali está escrito que a sabedoria e o conhecimento começam com o temor do Senhor (1.7) — a reverência e o respeito devidos ao Deus todo--poderoso. Esse tipo de reverência leva a uma vida sábia e justa, o assunto principal do restante do livro.

A seção seguinte (1.8—9.18) é uma série de extensos discursos sobre sabedoria, novamente do ponto de vista de um homem mais velho que se dirige a um filho ou homem mais jovem, um padrão clássico na literatura sapiencial. Alguns discursos personificam a sabedoria como uma mulher que insta os jovens e ingênuos a buscá-la para que não caiam nos caminhos destrutivos do mal e das pessoas sexualmente imorais. Os ouvintes que alcançam essa sabedoria geralmente desfrutam de uma vida longa, segura e próspera.

A seção mais longa (10.1—31.9) contém várias coleções de provérbios independentes, aparentemente aleatórios, escritos por vários autores. Eles abordam temas como o uso das palavras, casamento e família, trabalho e autocontrole. Os provérbios frequentemente fazem um contraste entre os caminhos dos sábios e os dos tolos, que levam a resultados totalmente diferentes. Alguns poucos expressam verdades absolutas, descrevendo Deus e seu caráter imutável: "O Senhor detesta aqueles cujo coração é perverso, mas tem prazer naqueles cujos caminhos são irrepreensíveis" (11.20). A maioria comunica ideias gerais sobre como é a vida; outros apresentam princípios contrastantes (26.4,5). Essas máximas devem ser interpretadas em consonância com o ensino bíblico geral, e o sábio as aplicará com discernimento.

O livro termina com um poema em louvor a uma mulher de caráter nobre (31.10-31) cuja sabedoria, habilidade e trabalho duro trazem bênção para sua família e outras pessoas. Esse retrato exorta as jovens sábias a imitá-la e os jovens sábios a se casarem com uma mulher que esteja buscando tornar-se como ela.

MENSAGEM

□ *Para viver bem, é preciso habilidade*

O livro de Provérbios admite que a vida é complexa, difícil e às vezes incoerente e que é preciso ter habilidade para manejar com sucesso os intermináveis desafios da vida. A Bíblia chama essa habilidade necessária de "sabedoria", a qual, Provérbios ensina, podemos adquirir, se reconhecermos sua fonte, a procurarmos diligentemente e tomarmos decisões de acordo com ela.

□ *Deus é aquele que sabe melhor como a vida funciona*

De onde vem a sabedoria? Para alcançá-la, é preciso primeiro reconhecer que Deus criou o mundo e sabe melhor como a vida funciona. Assim, a pessoa sábia não confia em seu próprio entendimento na hora de decidir o que fazer, mas procura aprender o que Deus revelou. Sabedoria exige humildade para aceitar e admitir que Deus sabe infinitamente mais do que nós e que precisamos viver da maneira que ele determina.

A genuína compreensão da vida e o verdadeiro sucesso sempre começam com o respeito pelo Deus soberano que projetou e criou tudo o que existe. O sábio aprende a perspectiva de Deus sobre a vida e toma decisões de acordo com seus princípios. Essa pessoa descobrirá que a vida é abençoada e, no fim das contas, satisfatória.

ECLESIASTES

CONTEXTO

Eclesiastes, outra obra da literatura sapiencial, é um livro filosófico que aborda exceções às verdades gerais que Provérbios ensina sobre a vida. A maior parte do livro é escrita em um tom sombrio e pessimista, argumentando que a vida é muitas vezes confusa, difícil e, no fim das contas, sem sentido — se não houver um relacionamento correto com Deus.

As tradições judaica e cristã atribuem a autoria a Salomão, em grande parte porque o livro menciona o escritor como o "filho de Davi, rei em Jerusalém" (1.1). No entanto, o nome de Salomão nunca aparece, e "filho" também pode significar um descendente posterior, incluindo qualquer um dos reis de Judá (p. ex., "filho de Davi" é usado até mesmo por Jesus — veja Mt 1.1); além disso, a forma do hebraico usada parece ser um estilo posterior ao da época de Salomão. Ainda assim, os comentários do autor sobre sua sabedoria, riqueza e realizações se encaixam bem com o que o restante das Escrituras diz sobre Salomão. Ele é o provável autor e escreve como um homem mais velho, que aprendeu tarde demais que a vida sem Deus é insatisfatória.

RESUMO

Eclesiastes começa apresentando seu autor e tema (1.1-11), mostra sua perspectiva da vida, predominantemente sombria, em duas seções (1.12—11.6; 11.7—12.7) e termina com um retorno ao tema e seu conselho final, mais esperançoso (12.8-14).

O "sábio" (também traduzido por "pregador") evidentemente ensinava a um grupo de pessoas, e imediatamente declara o refrão que repetirá muitas vezes: "Tudo é vaidade" ou "A vida não tem sentido". Embora, até certo ponto, seja verdade, a afirmação é um exagero, outra característica do livro. É claro que a vida não é totalmente sem sentido, mesmo que às vezes pareça, e em outros trechos o autor faz afirmações positivas sobre a vida que também são verdadeiras. Assim como ocorre com muitos ensinamentos conflitantes na literatura sapiencial, uma pessoa sábia discerne o que é aplicável a dada situação (cf. 3.1-8).

O cerne do livro é dividido em duas partes que apresentam uma perspectiva principalmente pessimista. Em 1.12—11.6, o sábio argumenta que a vida é difícil e parece sem sentido, mas reconhece que, apesar disso, ela é um presente de Deus. Ele buscou significado no trabalho, no prazer, na riqueza, no conhecimento e no poder, mas não encontrou nada verdadeiramente satisfatório. Ele afirma que a certeza da injustiça e da inevitabilidade da morte tornam a vida um quebra-cabeça insolúvel. (O sábio viveu e escreveu antes da revelação que agora temos no Novo Testamento, de modo que não podia entender completamente como, por exemplo, na vida após a morte, Deus corrigirá os erros e acabará com as desigualdades.) Mas ele reconhece que Deus nos criou de modo que pudéssemos desfrutar de comida, bebida, trabalho, bens e relacionamentos. Ele diz que a pessoa sábia deve ter prazer nessas coisas, percebendo que a vida é um presente de Deus e deve ser desfrutada o máximo possível. Da mesma forma, os versículos 11.7 a 12.7 lembram que a velhice e seus problemas físicos chegarão; portanto, as pessoas sábias devem desfrutar de sua juventude, tendo em mente que, no final, Deus as responsabilizará por suas ações.

Essa última verdade está de acordo com a conclusão (12.8-14), segundo a qual, como não há nada na vida que satisfaça completamente, uma pessoa sábia deve conhecer e obedecer a Deus, o supremo juiz de tudo.

MENSAGEM

□ *A vida sem Deus não traz satisfação*

Esse livro ensina que a maioria das coisas não proporciona satisfação e significado e que a vida é muitas vezes difícil e dolorosa. O Novo Testamento também afirma que o mundo é fundamentalmente imperfeito por causa da corrupção do pecado — *mas* garante que, quando chegar a hora certa, Deus o renovará (Rm 8.19-21). Até aquele dia bendito, faremos bem em seguir o conselho de Eclesiastes: "Tema a Deus e obedeça aos seus mandamentos, porque este é o dever de todo homem" (12.13).

□ *A sabedoria humana é limitada, mesmo a dos justos*

Embora Deus esteja no controle do mundo, suas razões para dirigir as coisas do modo que faz podem ser indecifráveis, mesmo para os que o conhecem. Quando atingimos os limites do nosso entendimento, devemos confiar que o Deus onisciente e onipotente continua a fazer o que ele sabe ser melhor.

Como, às vezes, a vida é (ou, pelo menos, parece ser) vazia, imperfeita e totalmente incompreensível, a sabedoria aconselha que aceitemos nossas limitações e o fato de que Deus sabe o que é melhor e o realizará. Devemos ser pacientes nas dificuldades e desfrutar dos prazeres da vida, tendo sempre em mente que vivemos diante do Senhor e, no final, estaremos diante dele e daremos conta de tudo o que fizemos.

CÂNTICO DOS CÂNTICOS

CONTEXTO

O livro de Cântico dos Cânticos contém poesia romântica de grande beleza, altamente figurativa e muitas vezes erótica, a respeito do relacionamento entre um homem israelita e sua mulher. A natureza poética da obra e as dificuldades inerentes da interpretação de versículos tão distantes, histórica e culturalmente, tornam Cântico dos Cânticos um dos livros bíblicos mais difíceis de serem compreendidos pelo leitor de hoje.

O livro é claramente associado a Salomão (citado nominalmente em 1.1 e em outros trechos), que escreveu 1.005 cânticos (1Rs 4.32), talvez incluindo este. A atribuição inicial ("Cântico dos Cânticos de Salomão") também pode significar "sobre Salomão" ou "dedicado a Salomão", bem como "de autoria de Salomão". Além disso, o mau exemplo de compromisso conjugal de Salomão (1Rs 11.1-8) leva muitos a desqualificá-lo como autor que estivesse à altura de escrever um texto bíblico sobre o amor. No entanto, seu pai, Davi, também teve falhas notórias, e está claro que ele escreveu dezenas de salmos inspirados. Além disso, a tradição rabínica de que Salomão escreveu o cântico quando jovem, Provérbios na meia-idade e Eclesiastes na velhice poderia oferecer uma solução para esse enigma: talvez ele tenha escrito a obra antes de seus graves erros de relacionamento.

De qualquer modo, o cântico apresenta inúmeros desafios interpretativos. Está claro que se trata de um poema de amor, mas será que é composto por muitos poemas geralmente desconexos, ou conta uma história coerente sobre um relacionamento que vai do namoro ao casamento e à união madura? Se conta essa história, descreve três pessoas (Salomão amando uma donzela do campo que ama um pastor do campo) ou duas pessoas (Salomão, também descrito como pastor, amando uma donzela do campo)? Essas dificuldades interpretativas, combinadas com a natureza erótica do livro, levaram muitos a interpretar o livro de Cântico dos Cânticos como uma alegoria — uma extensa figura de retórica que descreve o amor de Deus por Israel (ou o amor de Cristo pela igreja ou por cada cristão, individualmente). Embora um casamento amoroso certamente ilustre o amor de Deus por seu povo (Os 3; Ef 5.21-33), o cântico naturalmente é lido como um longo poema sobre dois amantes humanos (Salomão e uma donzela do campo), e essa é provavelmente a interpretação correta.

RESUMO

Supondo que a obra descreve o relacionamento cada vez mais profundo entre Salomão e uma jovem, ela se divide em quatro seções: namoro (1.1—3.5); casamento e noite de núpcias (3.6—5.1); aprofundamento da união, que inclui a resolução de conflitos e o aumento da liberdade sexual (5.2—8.4); e uma conclusão sobre o poder e a fonte de um amor como esse (8.5-14).

As duas primeiras seções refletem claramente o desejo que o homem e a mulher têm um pelo outro — tanto o desejo da companhia um do outro quanto da intimidade física — que eles refreiam com um controle admirável ("Não despertem nem provoquem o amor até que ele o queira" [2.7]). Depois do casamento, quando já não precisam mais se conter, eles dão plena expressão aos seus desejos físicos. O amante elogia a beleza e o caráter de sua amada por meio de figuras de linguagem eróticas, porém de bom gosto. Mesmo as metáforas que soam estranhas para o leitor de hoje ("Seus seios são como filhotes gêmeos de uma gazela" [4.5]) devem ter comunicado bem a mensagem em sua cultura original, provavelmente usando associações de qualidade, e não de aparência (p. ex., filhotes de gazela = macios e convidativos).

As duas últimas seções refletem a realidade do conflito conjugal, assim como a crescente liberdade sexual promovida em um relacionamento saudável. O conflito é retratado como um sonho em que a mulher deixa de gostar do homem, e ele se afasta; eles devem restaurar sua proximidade, renovando a afeição de um pelo outro. Segue-se uma profunda intimidade sexual, agora iniciada pela mulher e pelo homem. A conclusão ressalta que esse amor vem de Deus ("a própria chama do SENHOR" [8.6, ESV]) e, em parte, é uma das consequências de um casal guardar sua pureza sexual antes do casamento.

MENSAGEM

Cântico dos Cânticos mostra que a intimidade sexual é um dos maiores presentes de Deus e é mais bem desfrutada no relacionamento conjugal exclusivo entre um homem e uma mulher.

☐ *O sexo é um presente de Deus*

O fato de haver um livro inteiro da Bíblia dedicado a amor, casamento e prazer sexual mostra que Deus criou os seres humanos para desfrutar de tudo isso, incluindo a intimidade física e emocional que o sexo proporciona. Embora os seres humanos muitas vezes corrompam esse presente, Deus quer que tenhamos prazer nele e que desfrutemos abundantemente dele.

☐ *Intimidade sexual é melhor dentro do casamento*

O livro ensina que o sexo é mais bem desfrutado no âmbito do casamento. Um relacionamento exclusivo e vitalício entre homem e mulher representa o desígnio de Deus (Gn 2.24) e o contexto ideal para que possamos nos deleitar com essa poderosa criação. Isso era tão verdadeiro três mil anos atrás quanto é hoje.

Independentemente de quanto as pessoas possam usá-lo mal ou corrompê-lo, os cristãos não devem desprezar esse dom divino; pelo contrário, devemos redimi-lo e recebê-lo. Para que possamos encontrar nele o deleite e a proximidade que Deus quer que tenhamos, devemos reservar o sexo para o casamento e depois manter esse relacionamento exclusivo, aprofundando continuamente sua intimidade.

ISAÍAS

CONTEXTO

O livro de Isaías é uma obra profética clássica do Antigo Testamento, com mensagens de julgamento e restauração para a nação de Judá, dinâmicas predições sobre a vida e o ministério de Jesus e um retrato sublime do Deus santo, que tem controle soberano sobre o mundo e a história.

O livro identifica claramente seu autor como Isaías (1.1), que ministrou por cerca de sessenta anos nos séculos 8 e 7 (740-681) a.C. No entanto, não há certeza de que ele tenha escrito o livro inteiro, por causa de tons e configurações marcadamente diferentes em suas três partes principais. O material escrito em um tom mais grave, nos capítulos de 1—39, adverte Judá sobre o julgamento futuro; o cenário é a ameaça assíria contra Judá, durante a vida de Isaías, que é frequentemente mencionado nessa seção. O restante do livro, por sua vez, não menciona Isaías e tem um tom mais positivo; seu cenário é o Exílio na Babilônia (caps. 40—55; século 6 a.C.) e a restauração durante o domínio persa (caps. 56—66; século 5 a.C.).

Embora alguns digam que um escritor (ou escritores) posterior deve ter escrito os capítulos de 40 a 66, em nenhum lugar a obra cita outro autor, e os escritores do Novo Testamento frequentemente citam trechos de suas várias partes atribuindo-as a Isaías (p. ex.,

Jesus, em João 12.38,40, citando Isaías 6 e 53). Cada uma das partes principais também inclui expressões características, como *o Santo de Israel* e *o Alto e o Sublime* para descrever Deus, sugerindo igualmente um único autor — Isaías — que escreveu nos séculos 8 e 7 sobre sua própria época e também sobre o que Deus faria no futuro.

RESUMO

O livro divide-se nitidamente nas três partes descritas anteriormente. A primeira seção (1—39) pode ser subdividida em três subseções (1—12; 13—35; 36—39). Nos capítulos de 1 a 12, Isaías adverte que Deus julgará Judá por seus pecados, mas também oferece a esperança de restauração de um remanescente purificado dentre o povo. Os capítulos de 13 a 35 estendem as advertências sobre o juízo de Deus, dizendo que ele será aplicado também a nações como Babilônia, Assíria, Filístia e Egito. Essas nações não têm aliança com Deus, como Israel, mas ainda assim ele as considera responsáveis por seus atos. Os capítulos de 36 a 39 contêm principalmente material narrativo que transita do período assírio (1—35) para o período babilônico posterior, o contexto da seção seguinte.

Essa primeira seção principal (1—39) enfoca os reis de Judá para mostrar os resultados de confiar ou não em Deus. Acaz (Is 7; c. 735 a.C.) não confia em Deus ao enfrentar uma ameaça crucial por parte da vizinha Israel e da Síria; por isso, ele é repreendido por Deus. Ezequias (Is 36 e 37; 701 a.C.) confia em Deus ao enfrentar uma ameaça ainda maior por parte da Assíria, e, por causa disso, Jerusalém é salva.

A segunda seção principal (40—55) muda o tom e passa da ameaça de julgamento severo para a brilhante esperança de restauração, começando com: "Console o meu povo, console, diz o seu Deus. Fale ternamente a Jerusalém e lhe anuncie [...] que o seu pecado foi pago" (40.1,2). Depois de mandar Judá para o Exílio na Babilônia, Deus promete restaurar seu povo por meio de seus servos, identificados de várias formas como: Israel (44.21), o rei persa Ciro (45.13) e um servo sofredor anônimo (52.13—53.12), que vários escritores do Novo Testamento mais tarde identificam claramente como sendo Jesus.

A terceira seção principal (56—66) indica que a volta de Judá do Exílio continuaria durante o período do domínio persa. Quando isso ocorresse, líderes corruptos, adoração insincera e idolatria persistente demonstrariam a necessidade contínua do Messias, que viria vários séculos depois.

MENSAGEM

☐ *Deus julga e restaura seu povo quando necessário*

Assim como muitos livros proféticos do Antigo Testamento, Isaías adverte o povo de Judá e os reis da dinastia davídica de que eles estão em perigo de juízo por não permanecerem fiéis à aliança mosaica. A princípio, eles podem evitar o julgamento caso se arrependam; quando não o fazem, o juízo executado pela mão de conquistadores como a Assíria ou a Babilônia se torna inevitável. Essa certeza é temperada pela mesma certeza de que, depois disso, Deus trará Judá de volta à sua terra natal, embora apenas um remanescente purificado sobreviva para desfrutar desse retorno. Hoje, os cristãos se relacionam com Deus sob uma aliança diferente (a nova aliança, e não a mosaica), mas ainda assim podemos ter certeza de que Deus nos julga e nos restaura quando e como ele sabe ser melhor para nós.

☐ *Deus conhece e controla a história*

O Deus que prometeu derrubar e depois levantar Judá poderia fazê-lo porque conhecia e controlava a história, sempre a direcionando para o fim que ele deseja. Como Deus conhece os acontecimentos antes que aconteçam, ele podia predizê-los por meio de seus profetas. Pela boca de Isaías (7.14), ele disse que uma donzela (também traduzida por "virgem") conceberia e daria à luz um filho, e o chamaria Emanuel — profecia cumprida no nascimento virginal de Jesus. Deus também previu o nome do rei persa, Ciro, 150 anos antes de ele viver (44.28) e descreveu o sofrimento de Jesus sete séculos antes (52.13—53.12). O controle de Deus sobre a história levou-o finalmente a levantar o Messias, o herdeiro definitivo de Davi, a fim de tornar a salvação possível para todas as pessoas.

☐ ***Deus espera que seu povo confie nele***

O Deus onisciente e soberano esperava que seu povo confiasse em seu controle dos acontecimentos nacionais e mundiais e acreditasse que ele sabia o que era melhor para cada um deles individualmente. O fracasso deles em fazer isso e guardar fidelidade à aliança mostrou que na maioria das vezes, não confiavam nele. Alguns, porém, como o rei Ezequias, confiaram e testemunharam o livramento milagroso do Senhor.

O mesmo Deus que esperava que os habitantes de Judá no tempo de Isaías confiassem nele também espera a mesma fé de seu povo nos dias de hoje. Deus sabe como a história se desenrolará no mundo, na nossa nação e em nossa vida; devemos confiar que ele está fazendo o melhor por nós, de modo coletivo e individual.

JEREMIAS

CONTEXTO

Este livro contém mensagens proféticas entregues por meio de Jeremias e uma narrativa intrigante a respeito dele, que foi a principal voz profética de Deus durante o período terrível em que a Babilônia ameaçou e finalmente conquistou Judá (626-586 a.C.; Jr 1.2), como Isaías havia sido durante a ameaça assíria a Judá, um século antes. Deus chamou Jeremias, um homem sensível e sacerdote de uma pequena aldeia situada a alguns quilômetros ao norte de Jerusalém, para um ministério desafiador que lhe daria o título de "profeta chorão". Ele advertiu fielmente os obstinados habitantes de Judá de que Deus traria um julgamento severo caso não se arrependessem de sua idolatria, mas enfrentou tanta oposição e viu tão pouca resposta, que só pôde chorar pelo sofrimento que sabia que viria (9.1).

O ministério de Jeremias começou durante o reinado de Josias, o último rei piedoso de Judá, cuja morte acabou com qualquer esperança que a nação poderia ter de evitar o julgamento, pois os reis subsequentes incorreram primeiro na ira de Deus e depois na da Babilônia, por causa de suas ações tolas e perversas. Além das mensagens poéticas de julgamento e restauração, as narrativas em prosa do ministério de Jeremias incluem descrições simbólicas das mensagens de Deus. Após o Exílio, Deus *restaurará* um remanescente e fará uma nova aliança — e o próprio Jesus finalmente *a inaugurará*.

RESUMO

Embora os temas gerais sejam claros, a organização do livro não é. O arranjo bastante caótico pode refletir os tempos tumultuados em que viveram Jeremias e Baruque, seu escriba e parceiro, que provavelmente escreveu e compilou (36.4-8) boa parte do livro.

O capítulo 1 apresenta Jeremias, as datas de seu ministério e seu chamado para profetizar. Segue-se uma visão que ilustra dois temas principais. Primeiro: Deus julgará Judá por meio de uma nação invasora vinda do norte (a Babilônia). Segundo: Deus ordena que Jeremias entregue essas mensagens sombrias e promete protegê-lo de grande perseguição.

O ministério de Jeremias e os últimos anos do período pré-exílico de Judá se desenrolam nos capítulos de 2 a 39. Ele acusa os habitantes de Judá de violarem sua aliança com Deus e os exorta a se arrependerem. Quando eles se recusam a fazer isso, ele garante que Deus os julgará usando o poder ascendente da Babilônia. Nos capítulos de 30 a 33, Deus promete libertar os judeus após o julgamento, em parte por meio da nova aliança (abordada adiante). Os capítulos de 34 a 39 contêm histórias de como o julgamento prometido é executado em Judá, incluindo a queda da capital, Jerusalém.

Os capítulos de 40 a 52 encerram o livro e o ministério de Jeremias. Os capítulos de 40 a 45 descrevem acontecimentos que se dão após a queda de Jerusalém, quando um grupo de judeus se rebela contra o novo governo estabelecido pelos babilônios e foge para o Egito em busca de segurança, forçando Jeremias a acompanhá-los (talvez na esperança de que Deus os protegesse). Os capítulos de 46 a 51 falam do juízo de Deus que se abate também sobre nações estrangeiras. O capítulo 52 relata novamente a queda de Jerusalém — possivelmente para enfatizar que a culpa de Judá era maior que a de outras nações.

MENSAGEM

□ *Deus é paciente, mas, por fim, sempre pune o pecado*

O Deus que criou e governa o mundo merece lealdade e obediência de todas as pessoas, especialmente de seu povo da aliança. A responsabilidade de Israel e Judá era maior; Deus cumpriu a promessa de julgá-los por meio dos exércitos da Assíria e da Babilônia, assim como a de restaurar um remanescente depois.

□ *O ministério pode ser muito árduo*

O profeta Jeremias obedeceu fielmente ao que Deus o chamou para fazer, mas sofreu rejeição, espancamentos e prisão por parte de pessoas obstinadas que não queriam ouvir o que Deus estava dizendo por meio dele. Como seu ministério demonstra muito bem, as pessoas muitas vezes se recusam a cooperar com Deus, dificultando a vida dos que o representam.

□ *Deus tem o firme compromisso de estabelecer uma comunidade de seguidores fiéis*

Jeremias teve de profetizar e depois testemunhar o julgamento de Deus sobre o povo de Judá por causa da infidelidade deles à aliança. Ele também anunciou que Deus restauraria posteriormente uma comunidade de seguidores fiéis, em parte por meio do estabelecimento da nova aliança (31.31-34). Cerca de seiscentos anos se passariam, mas, no final de seu ministério, Jesus inauguraria essa aliança (Lc 22.20), que estaria acessível a *todas* as pessoas que cressem nele.

Deus chama os crentes a cumprirem fielmente seu papel na grande obra divina. Ele levou séculos para julgar a infidelidade do povo sob a aliança mosaica e outros séculos para inaugurar a nova aliança. Agora, cerca de vinte séculos se passaram, e Deus continua a acrescentar ao seu povo todos aqueles que se relacionam com ele por meio dessa nova aliança. Somos parte disso e precisamos usar o dom que ele nos deu, fazendo aquilo para o que ele nos chamou.

LAMENTAÇÕES

CONTEXTO

O livro de Lamentações expressa poeticamente a angústia dos sobreviventes de Judá logo após os babilônios destruírem Jerusalém e matarem ou exilarem a maioria de seus habitantes (586 a.C.). Deus enviou profeta após profeta para avisar as pessoas que a deslealdade à aliança que tinham com ele resultaria em destruição, se não se arrependessem; havia chegado a hora do julgamento doloroso. No livro de Lamentações, eles lastimam seu pecado e suas consequências.

A data e as circunstâncias em que o livro foi escrito são claras; sua autoria, não. A tradição judaica o atribui a Jeremias, testemunha ocular da tragédia. No entanto, embora o profeta tenha escrito pelo menos um lamento (pelo falecimento do rei Josias; 2Cr 35.25), o livro de Lamentações não contém nenhuma afirmação acerca de autoria, e os relatos das atividades de Jeremias após a queda da cidade (Jr 40—45) não afirmam em nenhum lugar que ele escreveu esse livro. Ele ou outra testemunha ocular teologicamente sensível escreveu para lamentar as perdas dos judeus, confessar que o juízo foi merecido e implorar a Deus que tivesse misericórdia e os restaurasse.

RESUMO

O livro é composto de lamentos — semelhantes aos de Salmos — que expressam angústia por causa das dificuldades, bem como a esperança de que Deus libertará. Os cinco capítulos são cinco lamentos que choram a destruição de Jerusalém; os quatro primeiros são acrósticos, em que versos sucessivos começam com letras sucessivas do alfabeto hebraico, um padrão que não se traduz em nossa língua. Os capítulos 1, 2 e 4 têm 22 versos, um para cada letra hebraica, enquanto o capítulo 3 tem 66, com cada três linhas começando com letras sucessivas. O efeito é arte literária, expressando a plenitude do sofrimento de Jerusalém "de A a Z". O fato de o último capítulo não ser um acróstico talvez enfatize que algo está faltando, como uma reconciliação entre o povo de Judá e seu Deus.

Cada capítulo lamenta a queda de Jerusalém de uma maneira um pouco diferente. O capítulo 1 descreve a cidade como uma viúva enlutada, abandonada, consciente de que seu pecado a levou a sofrer. O capítulo 2 descreve Deus como um guerreiro divino que vem, enfurecido, lutar contra seu próprio povo, e não em favor dele. O capítulo 3, muito mais longo, retrata Jerusalém como um homem que está sofrendo, ou talvez aconselhando a cidade a se arrepender. No meio desse lamento, o tom se torna positivo, concentrando-se na esperança por causa do caráter fiel e compassivo de Deus. "Por causa do grande amor do SENHOR é que não somos consumidos, pois suas misericórdias nunca falham. Renovam-se todas as manhãs; grande é a sua fidelidade" (v. 22,23). No capítulo 4, a comunidade lamenta a extensão da destruição e, no capítulo 5, ora para que Deus se lembre deles e os livre.

MENSAGEM

□ *O sofrimento às vezes é merecido*

Às vezes, o sofrimento atinge pessoas que não fizeram nada para merecê-lo, mas, outras vezes, o povo de Deus sofre merecidamente. Assim como aconteceu com os habitantes de Judá no tempo de Jeremias, Deus pode com justiça permitir a dor e o sofrimento naturais em razão do pecado de seu povo.

□ *Deus, fiel e compassivo, está sempre pronto a perdoar*

Não importa o pecado, Deus sempre oferece perdão. Seu caráter fiel e compassivo significa que ele *sempre* perdoará quando seu povo realmente se arrepender. Deus invariavelmente oferece esperança de um novo começo, mesmo que as consequências do pecado possam permanecer, como aconteceu na queda de Jerusalém.

Muitas vezes sofremos dificuldades que não estão relacionadas a nenhuma falha nossa. Mas, quando sofremos por responsabilidade nossa, precisamos assumir essa responsabilidade e confessar nosso erro. Então podemos pedir a Deus que nos perdoe e recomeçar. Essas confissões e súplicas por misericórdia são necessárias para restaurar um relacionamento rompido com Deus. Ele sempre perdoará, ainda que permita que as consequências permaneçam.

EZEQUIEL

CONTEXTO

O livro de Ezequiel registra as palavras de Deus para os judeus exilados que viviam na Babilônia por volta do período em que Jerusalém e o Templo foram destruídos. Deus enviou mensagens de julgamento e encorajamento por meio de Ezequiel, que havia sido exilado com outros dez mil (597 a.C.; 2Rs 24.10-14). Ele nasceu em uma família sacerdotal, mas nunca exerceu essa função porque foi exilado antes dos trinta anos, idade em que os sacerdotes começavam seu serviço. Em vez disso, Deus o chamou para profetizar no Exílio (593 a.C.). Ezequiel ministrou nos vinte anos seguintes, durante os quais Judá continuou a se rebelar contra Deus e a Babilônia, até ser conquistada.

Ezequiel compartilhou as palavras de Deus com seus companheiros exilados de maneira pessoal e vibrante. O livro foi inteiramente escrito na primeira pessoa, sugerindo Ezequiel como o único autor. Ele também narra visões proféticas, representa mensagens simbólicas e registra narrativas de acontecimentos, tudo para anunciar o juízo de Deus sobre Judá e outras nações, além de prometer restauração futura para os judeus.

RESUMO

O livro divide-se em seções organizadas em torno de temas proféticos: juízo sobre Judá e Jerusalém (1—24), juízo sobre nações estrangeiras (25—32) e restauração de Judá (33—48).

Os capítulos de 1 a 24 abrem com uma visão apocalíptica[1] que descreve Deus em sua glória celestial e inclui o chamado de Ezequiel para ser um profeta. A maior parte do restante dessa seção proclama julgamento sobre os judeus. Merece destaque a visão (caps. 8—11) que registra a partida de Deus do Templo por causa dos pecados do povo, especialmente a idolatria. Como o Senhor estava retirando sua presença protetora, a destruição do templo era inevitável — uma mensagem particularmente contundente para um sacerdote e profeta entregar.

Na segunda seção (25—32), Ezequiel garante o juízo contra nações próximas e distantes, incluindo Amom, Moabe, Líbano e Egito. Esses vereditos mostram a soberania de Deus sobre o mundo inteiro, bem como sobre seu povo particular, os judeus. A condenação do rei de Tiro (28.1-19) desperta um interesse maior, considerando-se que a segunda metade descreve o orgulho e a queda do rei de uma maneira que parece ultrapassar a de um ser humano e, na verdade, refere-se à rebelião e queda de Satanás.

A última seção (33—48) descreve como Deus restaurará e abençoará os judeus depois de os ter purificado por meio do juízo. Algumas mensagens provavelmente devem ser vistas como metafóricas, e não literais, pois não se encaixam na restauração subsequente dos judeus em sua terra. A descrição do Templo restaurado (40—43), por exemplo, não corresponde ao que foi reconstruído pelos repatriados do Exílio, nem mesmo à reforma mais ampla realizada por Herodes, o Grande, por volta do tempo de Jesus. Talvez a visão de Ezequiel simbolize a presença de Deus com seu povo — cumprida pelo ministério de Jesus — em vez de descrever um edifício literal. No entanto, as profecias de Ezequiel afirmam claramente a certeza de que Deus derramará abundantes bênçãos sobre seu povo, restaurando-o e renovando sua terra.

[1]Veja mais a respeito de visões apocalípticas no "Resumo" de Daniel.

MENSAGEM

☐ ***As tragédias não são culpa de Deus, mas às vezes são merecidas***

A conquista de Judá pela Babilônia e a destruição de Jerusalém e seu Templo representam algumas das piores tragédias sofridas pelo povo de Deus durante sua longa história. Deus permitiu que esses eventos acontecessem, mas não era ele o culpado; a culpa era do povo. O pecado deles provocou o juízo, e Deus usou isso para purificá-los.

☐ ***A restauração de Deus continua no Novo Testamento e depois dele***

Deus prometeu, por meio de Ezequiel, tanto o julgamento quanto a restauração. Parte dessa restauração ocorreu no final da era do Antigo Testamento. Outra parte ocorreu durante a era do Novo Testamento, com o ministério de Jesus, quando Deus literalmente viveu com seu povo (p. ex., Ez 34.23; Jo 10). E outra parte continua nos acontecimentos preditos por Ezequiel e no Novo Testamento que ainda precisam ocorrer (p. ex., Ez 47.1-12; Ap 22.1-5).

Todos nós enfrentamos dificuldades e tragédias na vida, ainda que não na mesma medida que os judeus na época de Ezequiel enfrentaram. Se Deus era soberano sobre as tragédias que se abateram sobre eles, pacientemente trabalhando por meio delas para o bem, os crentes de hoje podem confiar que ele agirá da mesma forma, não importa o que eles tenham de enfrentar — no nível pessoal, coletivo e ao longo da história. A bondade e a soberania de Deus não são menores agora do que eram milhares de anos atrás.

DANIEL

CONTEXTO

O livro de Daniel contém algumas das histórias mais conhecidas da Bíblia, bem como algumas de suas visões mais enigmáticas sobre acontecimentos futuros. Esses dois aspectos refletem o controle de Deus sobre os acontecimentos ocorridos durante o tempo de Daniel e prenunciam seu controle sobre o que aconteceria aos judeus nos séculos seguintes. Além disso, todas essas histórias e visões mostram que, embora Deus permita que coisas ruins aconteçam, ele dirige tudo para atingir os fins desejados, possibilitando que seu povo experimente a paz em meio a circunstâncias de extrema aflição.

Os acontecimentos e visões cobrem a história da região desde o tempo do domínio da Babilônia até o da supremacia romana. Os *acontecimentos* se dão durante aproximadamente setenta anos, quando primeiro a Babilônia e depois a Pérsia detiveram a hegemonia sobre a região, subjugando Judá e mandando muitos judeus para o exílio em terras distantes. As visões predizem principalmente acontecimentos que se dariam ao longo dos séculos seguintes, quando gregos e romanos também se alternaram no poder.

O próprio Daniel parece ter escrito ou narrado grande parte do livro, o que mostra o controle de Deus sobre os acontecimentos e a história. Quase metade está na primeira pessoa (p. ex., "Numa visão à noite, vi" [7.2]), e o próprio Jesus se refere a uma profecia que veio "por meio do profeta Daniel" (Mt 24.15). Um editor posterior ao período de Daniel pode ter reunido as histórias e visões. Os judeus do tempo de Daniel sofreram conquista e exílio, e vários séculos mais tarde sofreriam algo ainda pior, mas Daniel mostra que eles podiam confiar na bondade e na soberania de Deus, não importando o que enfrentassem.

RESUMO

O livro divide-se nitidamente em duas metades. A primeira (1—6) narra seis histórias sobre acontecimentos que se deram durante a época de Daniel no Exílio; a segunda (7—12) registra quatro visões apocalípticas sobre acontecimentos que ocorreriam em um período quatro séculos à frente. As duas seções refletem o controle de Deus, apesar da aflição e do sofrimento.

Nos capítulos de 1 a 3, Daniel e/ou seus amigos, exilados numa terra distante, prosperam em uma nação pagã. O capítulo 1 apresenta o tema principal do livro: o rei Nabucodonosor saqueia Jerusalém, mas foi o "Senhor [que] entregou [o] rei de Judá em suas mãos" (1.2). Assim, embora a tragédia atinja Judá, Deus continua no comando. Os babilônios treinam Daniel, Sadraque, Mesaque e Abede-Nego para serem conselheiros da corte e tentam fazer com que eles assimilem o pensamento e a fé da Babilônia. No entanto, os exilados permanecem firmes, e Deus os abençoa com saúde e sucesso.

No capítulo 2, Nabucodonosor, irado, decreta a morte de seus conselheiros por causa de um episódio envolvendo o conteúdo e a interpretação de um sonho perturbador sobre uma estátua feita de quatro metais. Daniel e seus amigos sobrevivem a essa ameaça quando Deus revela a Daniel a informação necessária — a estátua representava quatro reinos sucessivos que governariam a região —, demonstrando, assim, que Deus é a verdadeira fonte de conhecimento e sabedoria. No capítulo 3, a narrativa sobre os amigos de Daniel, que sobreviveram milagrosamente à fornalha ardente, mostra claramente que Deus tem poder para proteger seu povo em qualquer lugar, a qualquer hora.

Os capítulos de 4 a 6 dão continuidade a esses temas. Primeiro, Deus humilha o orgulhoso Nabucodonosor, fazendo-o viver como um animal por sete anos, até ele reconhecer a superioridade de Deus. Depois disso, também derruba seu sucessor, o vaidoso e imprudente Belsazar, que não dá lugar ao arrependimento e morre; o reino passa então para as mãos dos persas. Finalmente, o fato de Daniel sobreviver à cova dos leões, depois de seus inimigos terem planejado destruí-lo, mostra a capacidade de Deus de salvar da morte certa um homem fiel. Todas as seis histórias enfatizam a soberania de Deus em meio à tragédia e sua capacidade de preservar seu povo, mesmo no Exílio.

Nos capítulos de 7 a 12, Daniel relata quatro visões apocalípticas dadas por Deus que mostram seu controle sobre aflições que sobreviriam aos judeus nos séculos vindouros. Visões apocalípticas são diferentes da profecia comum em vários aspectos. Em vez de Deus compartilhar mensagens verbais por meio de um profeta, as visões apocalípticas são compostas por imagens vívidas e muitas vezes pouco naturais, cheias de elementos que representam outra coisa. A profecia usual exorta as pessoas a abandonarem sua própria maldade; a profecia apocalíptica encoraja perseverança em face do mal externo, até que Deus finalmente o remova ou destrua.

Na primeira visão, Daniel vê quatro animais que simbolizam a mesma sucessão de quatro reinos representados pelos metais no sonho de Nabucodonosor. Um Deus entronizado e um Filho do Homem glorificado julgam esses animais e, no final, Deus estabelece um reino eterno. Uma visão semelhante de um carneiro e um bode, no capítulo 8, representa a Pérsia sendo mais tarde conquistada pela Grécia, além de um governante grego posterior que perseguiria ferozmente os judeus.

No capítulo 9, Daniel ora a Deus para que acabe com o exílio de setenta anos dos judeus; Deus envia um anjo para prever o futuro dos judeus em uma estrutura enigmática de setenta "setes" ou "semanas", provavelmente uma estrutura de tempo intencionalmente vaga. Deus prediz acontecimentos futuros significativos, mas aparentemente acha desnecessário explicar exatamente quando eles ocorrerão. Na última visão de Daniel (10—12), um anjo descreve o reino espiritual invisível e fornece informações mais detalhadas sobre o futuro, incluindo a vinda de um governante blasfemo que perseguirá sem piedade os judeus no século 2 a.C. Deus permitirá essa situação terrível, mas salvará os judeus da destruição. Em conjunto, as quatro visões preveem desgraças futuras e a soberania de Deus sobre o que acontecerá.

MENSAGEM

☐ ***Deus é soberano sobre a história e ao longo de toda a história***

No tempo de Daniel, a proeminência que a nação tivera nos dias de Davi e Salomão era uma lembrança distante. Agora, séculos depois, eles eram dominados por outras nações e claramente continuariam sendo um povo conquistado por muitos séculos. Embora essa opressão certamente não fosse o que o povo queria, Deus estava mostrando que nada está fora de seu controle.

☐ ***Deus às vezes permite que coisas ruins aconteçam***

Deus conhece o futuro e dirige a história; nada foge de seu controle. Para o seu povo, no tempo de Daniel e depois, o futuro incluiria ser derrotado, exilado e terrivelmente perseguido. Deus pode milagrosamente resgatar seu povo do fogo e de leões, mas ele nem sempre o faz. Às vezes, em sua infinita sabedoria, ele permite danos reais ao seu povo, e nem sempre nos diz por quê.

☐ ***O povo de Deus pode confiar na soberania divina***

Os que creem no Senhor e o seguem devem confiar que, quando ele permite que aconteça algo que não é ou não parece ser bom para nós, ele pode usar esse acontecimento para produzir um bem maior. Esse conhecimento deve proporcionar paz e conforto ao povo de Deus diante de qualquer desafio. O mal ainda não foi banido para sempre, e isso só acontecerá depois da segunda vinda do Messias.

Se Deus usou os acontecimentos para proporcionar o máximo de benefício para Daniel e os judeus durante as dificuldades daquele período e nos anos que se seguiram, hoje podemos confiar que ele também conhece todas as nossas aflições e trabalha nas circunstâncias para o nosso bem. Ele não garante a seu povo um caminho fácil, mas promete estar conosco quando enfrentarmos tudo o que ele permitir que surja em nosso caminho.

OSEIAS

CONTEXTO

Usando uma das mais impactantes ilustrações de toda a Bíblia, o livro de Oseias narra como Deus ordena ao profeta que se case com uma mulher que seria infiel a ele, retratando, assim, como Israel tinha sido infiel ao seu Deus. Alguns intérpretes acham essa ordem moralmente ofensiva e argumentam que a história deve ter sentido figurado, não literal. No entanto, como nada no Antigo Testamento proíbe que um profeta se case com tal pessoa, o fato provavelmente é histórico e é um exemplo poderoso da infidelidade do povo de Deus.

O livro é ambientado no tempo em que o Reino do Norte de Israel estava prestes a ser conquistado e exilado pelas mãos dos brutais assírios (c. 750-715 a.C.). O texto fala do trágico casamento de Oseias e depois transmite uma série de mensagens proféticas de advertência e julgamento. O próprio Oseias aparentemente escreveu o livro para seus contemporâneos israelitas, usando o estilo figurado e poético tipicamente encontrado na profecia hebraica.

RESUMO

A primeira seção do livro (1—3) fala do profeta Oseias, que obedece à desafiadora ordem divina de se casar com Gômer, uma mulher que ele sabe que cometerá adultério. Mais tarde, Oseias novamente obedece a Deus e dá a seus filhos nomes como "Não amada" e "Não meu povo" para ilustrar a dolorosa, mas temporária rejeição e o julgamento de Israel. A misericordiosa restauração do relacionamento de Oseias com sua esposa afastada exemplifica a promessa de Deus de restaurar, por sua graça, o relacionamento com a nação.

A outra seção (4—14) apresenta uma série de mensagens aparentemente entregues por Oseias durante seu longo ministério. As mensagens avisam os israelitas de que Deus certamente os julgará por violações da aliança, como a idolatria, mas também prometem que, no final, ele os remirá. Numerosas metáforas ilustram a infidelidade do povo e a graça de Deus em perdoar sua infidelidade.

MENSAGEM

☐ ***Deus usa de forma poderosa os seguidores obedientes***

"Quando o SENHOR começou a falar por intermédio de Oseias, ele lhe disse: Vá, case com uma mulher promíscua" (1.2). Oseias obedeceu, assim como a todas as outras ordens de Deus, incluindo os nomes que deu aos filhos. Sua disposição de fazer qualquer coisa que Deus ordenasse possibilitou que Deus o usasse de maneiras extraordinárias.

☐ ***Pessoas cheias de graça podem restaurar até mesmo relacionamentos profundamente rompidos***

Do mesmo modo que Deus restauraria seu relacionamento gravemente abalado com Israel, Oseias restaura seu casamento profundamente esfacelado com sua esposa. Como? Primeiro ele conversa gentilmente com ela, em particular (2.14), para iniciar o processo de reconciliação. Depois ele demonstra graça ao perdoá-la, muito mais do que suas ações merecem (3.1). Esse amor provoca uma resposta positiva da esposa, assim como Israel precisaria responder a Deus; como parte transgressora, Israel deve confessar sua ofensa (14.1,2). Essas situações ilustram como relacionamentos partidos podem ser restaurados — mesmo em casos de ofensa grave — quando o agressor admite o erro cometido e o ofendido perdoa.

Por enquanto, neste mundo, os relacionamentos se rompem tanto entre as próprias pessoas quanto entre as pessoas e Deus. Quando esse fracasso nos afeta, Deus nos chama a admitir nossa transgressão e/ou oferecer graça imerecida. Se obedecermos a esse chamado, ele poderá nos usar como instrumentos em um mundo tremendamente carente de cura.

JOEL

CONTEXTO

No livro de Joel, o profeta usa uma devastadora praga de gafanhotos para alertar a desobediente Judá sobre um problema potencialmente pior: o julgamento iminente de Deus. Como o livro não cita nomes de reis contemporâneos — a forma usual de datar naquela época —, o contexto histórico preciso não está claro. Se Joel está prevendo o julgamento que ocorrerá por meio da conquista da Babilônia, como parece provável, ele pode ter falado e escrito o livro pouco antes desse acontecimento (586 a.C.).

RESUMO

Primeiramente, Joel (1.1-20) descreve os efeitos de uma praga combinada com uma seca que estavam destruindo as plantações e pastagens de Judá, cuja economia era basicamente agrícola. As maldições por não obedecer a Deus (Dt 28.15-23) significam desastre para todos — mesmo para os sacerdotes, que dependem de ofertas que as pessoas não podem mais dar. Joel adverte que isso prefigura uma tragédia ainda maior que está por vir (Jl 2.1-17), quando Deus usará um exército invasor para julgar seu povo. Eles só podem escapar se houver verdadeiro arrependimento: "Rasguem o coração, e não as vestes..." (Jl 2.13). Se o fizerem, Deus cederá e os restaurará

(2.18—3.21), permitindo que a terra se recupere, protegendo-os dos invasores e derramando seu Espírito para salvar todos os que se voltam para ele.

MENSAGEM

☐ ***Deus age e oferece salvação a todos***

Joel frequentemente fala do "dia do Senhor" — o tempo em que Deus agiria para pôr tudo em ordem. Os judeus pensavam que esse "dia" seria aquele em que Deus julgaria os outros povos e exaltaria os judeus; de fato, adverte Joel, o juízo começaria pelo povo de Deus. A restauração que ele havia prometido (2.28,29) incluiria, no final, o oferecimento do Espírito Santo para salvação de todos os povos, incluindo gentios e judeus (At 2.17-21).

Deus age na história para realizar seus propósitos. Quando nós, seu povo, somos obedientes, podemos esperar que ele aja de maneira redentora. Se somos desobedientes, sua ação pode ser de fato a nossa disciplina.

AMÓS

CONTEXTO

Nesse livro, Deus usa Amós, pastor e fazendeiro de Judá, para julgar Israel, o Reino do Norte. Sem treinamento profético formal (7.14), Amós profetiza obedientemente contra os israelitas ricos e corruptos, aparentemente durante um declínio temporário do poder assírio (c. 750 a.C.) que permitiu a Israel crescer e prosperar. Um dos motivos dessa prosperidade era a exploração dos pobres. Amós prevê, e mais tarde escreve, que Deus os julgará por essa e outras violações de sua aliança com ele.

RESUMO

Amós se divide em três seções. A primeira (1 e 2) declara julgamento contra nações estrangeiras, principalmente por crimes de guerra. Em seguida, o foco se concentra em Israel, a quem Deus promete julgar não por crimes de guerra, mas por violar sua aliança. A segunda seção (3—6) continua essas mensagens de juízo em que, como em um processo legal, Deus faz acusações e julga Israel culpado, principalmente pela injustiça social. A última seção (7—9) inclui quatro visões: Amós consegue fazer com que Deus desista de enviar gafanhotos e fogo, mas não de protelar indefinidamente a execução do julgamento. Em seguida, a linha de prumo de um construtor e uma cesta de frutas simbolizam que Israel é torto (injusto) e está maduro para julgamento. Felizmente, o livro termina com a mensagem esperançosa da promessa divina de restauração futura.

MENSAGEM

☐ ***Deus é justo; não devemos ignorar a injustiça social***

As mensagens que Deus transmite por meio de Amós demonstram que ele exige que todas as nações ajam corretamente e que seu povo tem responsabilidade ainda maior de seguir seus mandamentos e tratar bem os outros, especialmente os pobres.

Como povo de Deus, devemos saber que ele deseja que mantenhamos o mais alto padrão de conduta. Se ele nos abençoar com riqueza e poder, devemos usá-los não para maltratar os outros, mas para abençoá-los, refletindo e expressando a preocupação especial que Deus tem para com os pobres e desamparados.

OBADIAS

CONTEXTO

O pequeno livro de Obadias anuncia o julgamento de Deus contra a nação vizinha de Edom pela forma cruel com que tratou Judá em sua hora de aflição. Ele termina com a promessa de que Deus restaurará Judá, que ele havia punido com a conquista pela Babilônia (586 a.C.). Por meio de Obadias, aparentemente profetizando pouco depois da queda de Judá, Deus promete que, apesar de os edomitas estarem em uma posição segura (a terra de Edom podia ser defendida com facilidade), ele os destruirá completamente.

RESUMO

Os 21 versículos do livro dividem-se em três seções: julgamento, motivo do julgamento e o contraste da restauração. Deus promete castigar Edom de forma tão completa (v. 1-9), que o povo não se recuperará mais. Os edomitas merecem isso (v. 10-16) pela crueldade com que trataram os judaítas em sua derrota: eles haviam se alegrado com o infortúnio de Judá, quando a Babilônia a conquistou, e também tomaram terras que pertenciam a Judá e mataram fugitivos. Em contraste com esse julgamento final de Edom, Deus um dia restaurará os judaítas castigados e lhes dará possessões (v. 17-21).

MENSAGEM

☐ ***Não se alegre com a desgraça do seu inimigo***

Embora os edomitas fossem inimigos dos habitantes de Judá, os dois povos eram parentes (descendentes dos filhos de Isaque, Esaú e Jacó, respectivamente). Edom deveria ter ajudado Judá na hora da angústia, em vez de se alegrar e cooperar para sua destruição. Não importa o quanto seja aparentemente justificável, vangloriar-se do infortúnio de um inimigo é errado.

☐ ***As promessas de Deus sempre se cumprem***

Conforme havia prometido, Deus julgou Edom exemplarmente e restaurou Judá, embora tenha esperado muitos séculos para cumprir a promessa. O povo edomita desapareceu da história; em contrapartida, mais de seis milhões de judeus vivem atualmente apenas no Israel restabelecido.

O povo de Deus hoje também deve tomar cuidado para não se alegrar quando um inimigo tropeça; Deus quer que demonstremos bondade, não vingança (Mt 5.43-48). Da mesma forma, podemos confiar que ele cumprirá todas as suas promessas no devido tempo.

JONAS

CONTEXTO

O livro de Jonas fala de um profeta israelita que obedece, relutante, à ordem de Deus para ir pregar a um povo inimigo e depois fica contrariado quando Deus tem misericórdia desse povo. Dadas as informações do livro, Jonas deve tê-lo escrito na íntegra, ou talvez transmitido grande parte do texto a outro autor. Jonas era natural de Gate-Héfer, uma aldeia da Galileia, e seu ministério remonta a meados do século 8 a.C. (2Rs 14.25), quando os israelitas estavam prosperando.

A história de Jonas inclui sua incrível aventura no ventre de uma baleia, levando alguns a se perguntarem se a história é uma alegoria ou parábola, e não um acontecimento real. No entanto, o relato, mais longo e mais detalhado que as parábolas bíblicas, se parece muito com as narrativas históricas dos profetas Elias e Eliseu (1 e 2Rs). Além disso, exemplos documentados de pessoas que sobreviveram após serem engolidas por baleias[1] reforçam a plausibilidade da história, e a referência de Jesus à provação de Jonas (Mt 12.39-41) defende sua historicidade (mesmo que alguém possa se referir a um

[1] “The sign of the prophet Jonah and its modern confirmations”, *Princeton Theological Review 25* (1927): 636-7.

acontecimento fictício conhecido para fazer uma comparação válida). Independentemente disso, a história de Jonas destaca a compaixão de Deus pelos incrédulos e a importância de viver de acordo com os propósitos dele, em vez de trabalhar contra o que ele está fazendo.

RESUMO

A história se divide em duas partes, cada uma contada em dois capítulos. Na primeira, Deus ordena que Jonas avise a cidade assíria de Nínive sobre o julgamento iminente. Em vez disso, o profeta israelita literalmente segue na direção oposta, em uma tentativa fracassada de escapar da tarefa de que havia sido incumbido. Sua relutância em ajudar é compreensível, dada a notória crueldade dos assírios e sua intenção de conquistar as terras situadas a leste do Mediterrâneo, incluindo Israel. Mas Deus não desculpa a desobediência de Jonas e envia uma tempestade que põe em perigo todos no pequeno navio em que ele embarcou, tentando fugir. Ao contrário do profeta que foge de Deus, o mar, a tempestade e até os marinheiros incrédulos obedecem a Deus imediatamente; Jonas é lançado no mar como uma forma de chamar sua atenção e levá-lo a se arrepender.

Uma baleia (literalmente, "grande peixe") também obedece à ordem de Deus e engole o profeta, que se arrepende e faz uma oração de ação de graças por sua salvação. A baleia, então, obedece a Deus mais uma vez e cospe Jonas, castigado, em terra seca.

A segunda metade do livro registra a obediência de Jonas ao chamado repetido de Deus e, em seguida, sua atitude deplorável quando Deus mostra misericórdia aos ninivitas. Jonas viaja talvez mais de mil quilômetros até a enorme cidade e alerta seus habitantes de que, por causa de seus pecados, Deus os julgará, se eles não se arrependerem. Os anais assírios mencionam uma praga, uma longa revolta e um eclipse solar por volta de 765-759 a.C., talvez um pouco antes do tempo de Jonas, e Deus pode ter usado isso para preparar os ouvintes para sua mensagem. Qualquer que seja o motivo, os ninivitas se arrependem de todo o coração, e Deus mostra misericórdia, não destruindo a cidade.

Mas a história não termina aí. Jonas fica irritado por Deus poupar a cidade, e Deus novamente usa a natureza para sacudir o desobediente israelita. Deus provê uma planta para proteger Jonas do sol quente e depois envia um verme para matar a planta. Infelizmente, Jonas realmente se importa mais com a planta do que com os 120 mil habitantes de Nínive! O livro termina com Deus usando uma pergunta retórica para repreender Jonas e enfatizar a importância de mostrar compaixão pelas pessoas — o que Jonas obviamente não conseguiu fazer.

MENSAGEM

☐ ***Deus se importa com os estrangeiros***

Deus se importava com os ninivitas e esperava que seu profeta também o fizesse. Provavelmente como os outros israelitas de sua época, Jonas não se importava com o que acontecesse com eles e, do ponto de vista humano, tinha um bom motivo para isso: os assírios, conhecidos por sua crueldade perversa, haviam ameaçado Israel no passado recente. No entanto, a falta de compaixão de Jonas demonstrava o quanto os israelitas haviam se tornado egocêntricos e insensíveis à preocupação de Deus com os outros povos.

☐ ***Deus controla o mundo, mas nem sempre o seu povo***

No desenrolar dessa história, aspectos da natureza e pessoas não israelitas respondem bem aos mandamentos de Deus: o mar, a tempestade, os marinheiros, a baleia, o rei ninivita e seus súditos, a planta e o verme. No entanto, o profeta israelita quase sempre desobedece a Deus, ou obedece com relutância e de má vontade. Jonas se torna obstinado e não cumpre seu chamado. Da mesma forma, o povo de Israel se torna obstinado e desobediente, e não faz o que Deus exige dele: obedecer aos seus mandamentos e refletir seu caráter para ser visto pelos que são de fora.

Assim como o insensível, egoísta e desafiador profeta israelita e seu povo falharam no cumprimento do chamado de Deus, os crentes hoje às vezes também negligenciam o chamado de Deus. Podemos, de fato, ter boas razões para o que queremos ou não queremos que aconteça em determinadas situações. No entanto, se não estamos obedecendo a Deus ou não estamos refletindo seu caráter em relação aos outros, Deus pode permitir que sejamos "jogados para fora do barco" com algum tipo de disciplina para chamar nossa atenção e nos dar a oportunidade de reagir melhor.

MIQUEIAS

CONTEXTO

Nesse livro, Miqueias (um contemporâneo de Isaías e Oseias) adverte os israelitas, no final do século 8 e início do século 7 a.C., que Deus os dispersará como punição, mas depois os restaurará. O nome Miqueias significa "Quem é como Yahweh?" e reflete o desafio do profeta de que seu público pondere acerca de seu incomparável Deus e responda com adoração e serviço leais.

RESUMO

O livro de Miqueias contém dois ciclos (1—5; 6 e 7) de mensagens sobre juízo e restauração.

No primeiro, os capítulos de 1 a 3 alertam para o julgamento, começando com Miqueias pedindo a Deus que testemunhe em um processo metafórico contra Israel e Judá por suas transgressões. Os líderes das nações — profetas, sacerdotes e autoridades políticas — são particularmente responsáveis pela idolatria desenfreada, corrupção econômica e violência. Os capítulos 4 e 5 prometem restauração futura, quando o Templo de Jerusalém será o centro de culto para muitos povos e Deus abençoará seu povo com paz e prosperidade. Parte do cumprimento da profecia viria por meio de um governante, e Miqueias prediz que ele nascerá em Belém (5.2).

O segundo ciclo (6 e 7) também abre com uma disputa legal entre Deus e seu povo e se encerra com uma promessa de salvação. O inigualável Deus de Israel perdoa e mostra misericórdia.

MENSAGEM

☐ ***Deus julga e Deus perdoa***

Assim como aconteceu com o povo de Israel e de Judá no tempo de Miqueias, mesmo quando Deus nos disciplina, ele nos perdoa e nos restaura quando nos arrependemos e nos voltamos para ele. Devemos obedecer-lhe e confiar nele, permitindo que seu Espírito trabalhe em nós para nos tornar cada vez mais parecidos com ele. Dessa maneira, nos tornamos cada vez mais capazes de refletir seu caráter, mostrando justiça e misericórdia aos outros e vivendo humildemente em comunhão com Deus (6.8).

NAUM

CONTEXTO

No livro de Naum, Deus promete derrubar Nínive, a capital da Assíria, que havia muito tempo era o opressor brutal de seu povo. Conhecida por suas proezas militares e crueldade sem par, a Assíria ameaçou os Reinos do Norte (Israel) e do Sul (Judá) por mais de dois séculos, antes de conquistar Israel (732-722 a.C.) e depois de quase acabar com Judá em 701 a.C. Agora Deus promete vingança, o que significará alívio para Judá.

Um profeta chamado Naum, de quem nada mais se sabe, escreveu esse livro em algum momento entre a conquista de Tebas, no Egito, pela Assíria (664 a.C.; 3.8-10) e a queda de Nínive (612 a.C.), durante o declínio do antes poderoso Império Assírio.

RESUMO

O livro inclui várias mensagens de julgamento contra Nínive e de libertação para Judá. O capítulo 1 descreve Deus como um guerreiro divino que destruirá Nínive, mas restaurará Judá. No capítulo 2, Naum descreve a futura batalha em Nínive e compara a cidade a uma cova de leões. O capítulo 3 diz que ela cairá da mesma maneira que Tebas caíra nas mãos da Assíria.

MENSAGEM

☐ ***Deus conserta as coisas — no seu tempo***

A Assíria assediara os Reinos do Norte e do Sul por séculos, antes que seus exércitos conquistassem Israel e causassem destruição maciça em Judá. *Agora* Deus se vingará desse opressor. Ainda que ele espere o que parece muito tempo, enquanto certos elementos ocorrem do modo que ele julga melhor, a justiça do Senhor é certa e completa.

Quando os crentes de hoje pedem a Deus que acabe com alguma injustiça, podemos ter certeza de que ele agirá — mas em seu tempo e à sua maneira, não à nossa. Devemos aceitar que Deus pode esperar muito mais tempo do que gostaríamos para corrigir o que está errado e fazer justiça.

HABACUQUE

CONTEXTO

Esse livro registra uma conversa entre Deus e Habacuque na qual o profeta faz duas queixas. Primeiro, ele protesta que Deus não está agindo para punir o pecado em Judá. Então, quando Deus diz que julgará o pecado, o profeta reclama de *como* Deus pretende fazê-lo. Por fim, Habacuque aceita o plano de Deus como o melhor.

A data desse diálogo não é clara, mas como a futura ascensão da Babilônia parece surpreender Habacuque, sua data pode estar compreendida entre 626 a.C., quando a Babilônia começa a despontar, e 605 a.C., quando ela saqueia Jerusalém (e, nessa época, a corrupção de Judá é extrema).

RESUMO

O livro começa com a reclamação do profeta de que Deus não tem julgado o pecado em Judá, e Deus responde que enviará a Babilônia como seu instrumento de juízo. Habacuque expressa surpresa e consternação; certamente os babilônios são piores que os judaítas. Deus garante que, posteriormente, ele julgará os babilônios também, e no final Habacuque expressa confiança no plano de Deus, apesar do quanto Judá sofrerá com isso.

MENSAGEM

☐ ***Deus sabe o que é melhor, mesmo quando seu povo sofre***

Assim como Habacuque, os que seguem o Senhor sofrem com o mal em sua sociedade. O plano divino de usar os babilônios, que levará à conquista e ao Exílio, significa mais sofrimento. A restauração final, depois que a Babilônia for julgada, ainda demorará muitas gerações. Qual foi a resposta de Habacuque? "Contudo, vou aguardar pacientemente [...] ainda assim, eu me alegrarei no SENHOR" (3.16,18). Ele aceita que o plano de Deus é melhor, mesmo que inclua grandes dificuldades durante muito tempo.

Os cristãos de hoje também precisam aceitar o modo de Deus trabalhar, incluindo como ele lida com os problemas, mesmo que às vezes não gostemos. Precisamos viver Habacuque 2.4: "O justo viverá por sua fé" (ESV). Paulo cita duas vezes esse versículo no Novo Testamento (Rm 1.17; Gl 3.11) para enfatizar que *uma pessoa se torna justa por meio da fé*; o sentido original em Habacuque é que *aquele que é justo deve viver em fé*, confiando que Deus fará as coisas do modo que sabe ser o melhor. Os dois sentidos devem ser verdadeiros em nossa vida.

SOFONIAS

CONTEXTO

O livro de Sofonias anuncia o julgamento de Deus sobre Judá, bem como sobre outras nações, mas promete que um remanescente purificado sobreviverá. Sofonias profetiza durante o reinado de Josias, o último rei justo de Judá. Josias promoveu uma reforma religiosa que começou em 621 a.C., mas seus efeitos não perduraram depois de sua morte (609 a.C.). A pregação de Sofonias também aborda muitas das preocupações de Josias, sugerindo que as palavras do profeta podem ter apoiado os esforços do rei. Infelizmente, a maioria dos judaítas não dá ouvidos a esses apelos ao arrependimento, e a nação segue em direção ao julgamento previsto.

RESUMO

Sofonias se divide em três seções: julgamento em Judá (1.2—2.3), julgamento de outras nações e restauração futura. Deus diz que exterminará Judá assim como exterminou o mundo no Dilúvio: "Varrerei por completo tudo da face da terra" (1.2). Os habitantes de Judá haviam se tornado tão idólatras, que Deus também promete oferecê-los como um de seus sacrifícios pagãos. Sua única esperança é o arrependimento, que *talvez* os salve (2.3). Deus, em seguida, promete julgar também outras nações (2.4—3.8), e a lista de nações merecedoras de castigo termina com Jerusalém, que se tornou tão rebelde e profana quanto os estrangeiros. O livro conclui (3.9-20) com a certeza de que Deus restaurará um remanescente que o honrará.

MENSAGEM

□ ***Redenção começa com juízo***

Visto que Judá não se arrepende, Deus precisa executar o juízo. Somente o sofrimento do castigo pode quebrar o orgulho e a rebelião do povo. Por mais doloroso que seja, esse julgamento abrirá o caminho para a restauração futura, que se tornou a única esperança deles.

AGEU

CONTEXTO

Esse livro registra que os judeus pós-exílicos respondem obedientemente à exortação de Ageu para que terminem de reconstruir seu Templo, para simbolizar que a presença de Deus estava novamente entre eles. O profeta entrega quatro mensagens, de agosto a dezembro de 520 a.C., durante o reinado do rei persa Dario I (522-486 a.C.). Os judeus que haviam retornado de Babilônia (538 a.C.) tinham iniciado a reconstrução, mas vários obstáculos interromperam o trabalho. Ageu os exorta a continuar, e eles o fazem, terminando o templo em 516 a.C.

RESUMO

As duas primeiras mensagens de Ageu conclamam o povo a retomar a construção (1.2-15) e dão encorajamento assim que a obra recomeça (2.1-9). Ele enfatiza que lhes faltam recursos porque suas prioridades estão erradas, o que ele ilustra condenando o fato de que eles cuidam primeiro de seus próprios lares, e não da casa de Deus. Três semanas depois, eles recomeçam o trabalho, e Ageu os encoraja com a promessa de que, embora esse Templo possa ser menos grandioso que o primeiro, no final Deus fará com que sua glória seja ainda maior.

Dois meses depois, Ageu entrega mais duas mensagens para questionar (2.10-19) e exortar (2.20-23) as pessoas que estavam trabalhando. Ele observa que a impureza ritual deles contaminaria o novo Templo, não fosse pela ação de Deus em purificá-los. Além disso, para incentivar ainda mais o governador Zorobabel, Ageu diz a ele que Deus o valoriza e o escolheu.

MENSAGEM

☐ ***Deus está presente no meio de seu povo***

Os judeus que retornam décadas depois de terem sido banidos de sua terra precisam reconstruir o Templo porque ele representa a presença de Deus com eles. A conclusão da obra mostra que eles haviam reordenado suas prioridades, permitindo que Deus os abençoasse.

Jesus mudou a maneira de Deus demonstrar sua presença no meio de seu povo. Durante seu ministério, Jesus foi direta e literalmente Deus com o povo de Deus; depois que ele se foi, enviou seu Espírito para viver dentro de nós. No final dos tempos (Ap 21), Deus novamente habitará conosco diretamente. Os cristãos de hoje podem ter certeza de que Deus está conosco e permanecerá sempre conosco.

ZACARIAS

CONTEXTO

Zacarias, assim como Ageu, seu contemporâneo, exorta os judeus que voltaram do exílio a terminarem de reconstruir o Templo, apesar de todas as dificuldades (c. 520 a.C.). O profeta os encoraja com garantias das bênçãos de Deus e com predições de um Messias que um dia governará o mundo. Embora a profusão de imagens desconexas usadas por Zacarias torne o livro difícil de entender, muitas de suas referências ao Messias aparecem no Novo Testamento.

RESUMO

O livro de Zacarias pode ser dividido em duas partes, a primeira das quais (1—8) aborda as dificuldades e obstáculos que os judeus estavam enfrentando. Uma advertência para dar ouvidos às mensagens proféticas precede o registro das oito visões do profeta. As duas primeiras incluem cavaleiros e chifres, significando o mundo em paz e depois Deus julgando as potências que atormentaram seu povo. Na terceira, um homem com um cordão de medição representa a proteção de Deus sobre Jerusalém. A quarta e a quinta mostram Deus purificando o sumo sacerdote (que representa a nação) e depois um candelabro suprido sobrenaturalmente com óleo (indicando que Deus abençoará a reconstrução do Templo). A sexta e a sétima visões retratam o pecado dentro da comunidade como um rolo de pergaminho voando e uma mulher numa cesta sendo mandada embora. A última visão repete a certeza do julgamento de Deus sobre as nações. A seguir, há outras mensagens que combinam os ofícios de sumo sacerdote e rei na mesma pessoa (o que, até aquele ponto, os judeus não haviam feito) e enfatizam que a ação correta é superior a um ritual rígido. A seção termina com promessas de que Deus abençoará Jerusalém e que um dia os gentios adorarão ali.

A segunda parte de Zacarias (9—14) olha para o futuro, com dois anúncios sobre um rei-pastor ungido que será rejeitado e transpassado, mas finalmente governará em Jerusalém (referindo-se a Jesus em sua primeira e segunda vindas).

MENSAGEM

☐ *Os planos de Deus podem parecer demorados, mas seu cumprimento é certo*

Assim como, na época de Zacarias, Deus havia cumprido suas promessas de primeiro mandar os judeus para o Exílio e depois trazê-los de volta à sua terra, ele também cumprirá a promessa de enviar o Messias, que pastoreará seu povo e governará todas as nações. Uma parte dessa promessa se cumpriu cerca de quinhentos anos depois de Zacarias, e outra parte ainda aguarda cumprimento, mais de dois mil anos depois.

Se Deus pode levar séculos e milênios para cumprir as promessas que fez por meio de Zacarias, ele também pode levar o que parece um tempo muito longo para realizar seus propósitos conosco. Devemos ser pacientes e esperar que ele aja, pois ele sabe qual é o melhor resultado e o melhor momento para tudo.

MALAQUIAS

CONTEXTO

Nesse livro, o profeta Malaquias usa perguntas e respostas retóricas para repreender as atitudes e ações inaceitáveis de seus ouvintes. Malaquias aborda problemas semelhantes aos enfrentados por Esdras e Neemias, sugerindo que seu ministério é contemporâneo do deles (c. 430 a.C.). Oitenta anos haviam se passado desde que Ageu e Zacarias prometeram restauração e glória, e a comunidade ainda luta com dificuldades econômicas e corrupção. Por meio de Malaquias, Deus enumera seus erros e garante que *consertará* todas as coisas.

RESUMO

A maior parte do livro descreve seis problemas entre Deus e os judeus após o Exílio Babilônico. Eles alegam que Deus não os ama (1.2-5), portanto Deus ressalta que, após o julgamento, ele os restaurou (ao contrário do que aconteceu com Edom — veja Obadias); assim, suas ações passadas revelam seu amor. Em seguida (1.6—2.9), Deus repreende os sacerdotes por oferecerem sacrifícios impuros; seu povo deve dar-lhe o que tiver de melhor. Além disso (2.10-16), o povo é infiel a seus cônjuges; eles devem honrar a aliança do casamento. Depois disso (2.17—3.5), eles aborrecem o Senhor ao alegarem que ele tem sido injusto; ele promete julgar, como o fogo de um ourives. Mais ainda (3.6-12), eles roubaram a Deus ao reterem dízimos e ofertas; eles são desafiados a trazer todo o dízimo e ver as bênçãos de Deus. Finalmente (3.13—4.3), eles reclamam que os iníquos prosperam; Deus promete julgar os iníquos e abençoar os justos — a justiça será recompensada. O livro termina (4.4-6) com a promessa de que "Elias" virá para preparar o caminho para a obra de Deus em andamento (referindo-se a João Batista, que preparou o caminho para o ministério de Jesus — Mateus 11.13,14).

MENSAGEM

☐ ***A obra de Deus continua, embora às vezes "lentamente"***

Deus trabalhou com seu povo e pelo bem dele durante toda a era do Antigo Testamento. Malaquias garantiu que ele continuaria a fazer isso, como quando Jesus veio, quatrocentos anos depois. Não importa se Deus nos parece lento ou silencioso, ele continua trabalhando para promover o supremo bem de seu povo.

Milênios se passaram desde Malaquias e o Novo Testamento. Deus continua trabalhando, embora nem sempre no ritmo que gostaríamos. Devemos fazer nossa parte fielmente, confiando que ele cumprirá suas promessas e atingirá seus propósitos, como sempre fez.

Novo Testamento

DEDICATÓRIA

A seção do Novo Testamento do *Lendo a Bíblia livro por livro* é dedicada aos alunos do primeiro ano do Moody Bible Institute, que suportaram com resignação minha tentativa de ensinar na cátedra de Panorama do Novo Testamento por mais de trinta anos. Sou grato por sua amabilidade, paciência e encorajamento.

AGRADECIMENTOS

Gostaria de agradecer ao dr. Boyd Seevers pela ideia de escrever o *Lendo a Bíblia livro por livro* e por me dar a oportunidade de contribuir com a parte sobre o Novo Testamento.

MATEUS

CONTEXTO

Mateus estava em seu posto de coleta de impostos quando Jesus se aproximou e disse: "Siga-me". Imediatamente ele se levantou e o seguiu (9.9).

Mateus sentiu-se honrado. Ele queria que seus amigos conhecessem aquele homem, então convidou Jesus e seus discípulos para jantar em sua casa. Os judeus odiavam os compatriotas que, como Mateus, ganhavam a vida (muitas vezes enganando outros judeus) cobrando impostos para seus conquistadores, os romanos. Quando os líderes religiosos conhecidos como fariseus viram que Jesus estava na casa de Mateus, queixaram-se com seus discípulos: "Por que o seu Mestre come com publicanos e pecadores?". Quando Jesus ouviu isso, respondeu: "Não são os que têm saúde que precisam de médico, mas, sim, os doentes. [...] Não vim chamar justos, mas pecadores" (9.11-13).

Os pais da igreja primitiva identificam Mateus como o autor do primeiro Evangelho. Alguns acreditam que ele tenha escrito na década de 60 d.C., outros pensam que foi em meados da década de 50 d.C. Seu pai, Alfeu, deu-lhe o nome de Levi, mas Jesus, talvez para lembrar ao ex-coletor de impostos que seu chamado era um presente do Senhor, deu-lhe o nome de Mateus, que significa "presente de Deus".

RESUMO

□ ***Nascimento e infância (1—4)***

O Evangelho de Mateus começa com a genealogia de Jesus, traçando sua linhagem até Davi e Abraão para apresentar Jesus como o tão esperado Messias-Rei de Israel e o Salvador do mundo.

Mateus narra o nascimento milagroso de Jesus da perspectiva de José, pai de Jesus perante a lei, mas não biológico; Mateus deixa isso claro, identificando José simplesmente como "marido de Maria" (1.16). Quando José e Maria estão comprometidos para se casarem, José descobre que ela está grávida. Supondo que ela tenha sido infiel, ele planeja dissolver secretamente o compromisso, mas um anjo lhe diz que Maria concebeu milagrosamente pelo poder do Espírito Santo. José deve dar ao menino o nome de Jesus (que significa "o Senhor salva") porque ele "salvará seu povo dos seus pecados". O nascimento virginal cumpre a profecia que Deus tinha dado a Isaías séculos antes (Is 7.14).

A história do nascimento e da primeira infância de Jesus está repleta de perigos e acontecimentos dramáticos. Homens sábios (ou "magos do Oriente") seguem uma estrela até a Terra Santa para trazer presentes e adorar a criança. José e sua família fogem para o Egito para escapar de Herodes, o Grande, que tenta eliminar o verdadeiro rei dos judeus baixando um decreto: massacrar todos os bebês do sexo masculino com menos de dois anos de idade nas proximidades de Belém. Após a morte de Herodes, José leva Maria e Jesus de volta para Israel; ao saber que um dos filhos de Herodes, Herodes Arquelau, agora governa em Judá, ele instala a família na cidade de Nazaré, na região norte da Galileia, cumprindo a profecia de que Jesus "será chamado Nazareno".

Jesus cresce em Nazaré. Antes que ele inicie seu próprio ministério, seu antecessor e precursor, João Batista, começa a ministrar no deserto. Para preparar o povo para a vinda de Cristo e o reino de

Deus, João manda que se arrependam (abandonem seus pecados e se voltem para Deus). Ele se veste como um profeta do Antigo Testamento e é chamado de João Batista porque batiza os que confessam seus pecados.

Como preparação para o que tinha vindo fazer, Jesus é batizado por João — e tentado por Satanás. O Espírito de Deus desce sobre ele no batismo, capacitando-o para o ministério; a voz de Deus proclama do céu: "Este é o meu Filho amado, de quem me agrado" (3.17).

A seguir, o Espírito leva Jesus ao deserto da Judeia. Depois de jejuar quarenta dias e noites, Jesus é tentado três vezes por Satanás. Ao vencer a tentação, ele cita o Antigo Testamento. Então, depois que o Diabo parte, anjos o servem.

Nesse ponto, Mateus inicia um relato extenso da obra de Jesus, principalmente na Galileia (4.12—18.35). Após a prisão de João Batista, Jesus começa a ministrar publicamente e chama seus primeiros discípulos. Ele ensina nas sinagogas, prega sobre o reino de Deus e cura pessoas acometidas de todos os tipos de doenças. As pessoas achegam-se a ele de todo o Israel, mesmo do leste do rio Jordão.

□ *O Sermão do Monte (5—7)*

Os discípulos e uma grande multidão se reúnem na encosta de uma colina na Galileia para ouvir Jesus, que inicia seu ensino com o que chamamos de "as bem-aventuranças", nove declarações de *bênção*: "Bem-aventurados..." — que significa "aprovados por Deus". Jesus promete bênçãos presentes e futuras para aqueles cujo estilo de vida for dirigido por motivações centradas em Deus.

Para fazer diferença no mundo, diz ele, seus seguidores devem ser como "sal" (ter um efeito purificador em meio à corrupção) e "luz" (não ocultando sua fé, mas dando um exemplo brilhante).

Para dissipar quaisquer suspeitas de que estivesse querendo anular a Lei mosaica, Jesus diz que veio *cumprir* a Lei e os Profetas (i.e., o Antigo Testamento). Ele ensina que a verdadeira justiça substitui a conformidade superficial com a lei e dá seis exemplos que mostram diferenças entre interpretações comuns da lei e o que a lei realmente significa. Ele ordena que seus seguidores amem incondicionalmente, imitando a perfeição moral de Deus.

Os atos de justiça devem ser praticados para Deus, e não para impressionar os outros. Jesus mostra a seus discípulos como orar (a Oração do Senhor [6.9-15]). Ele diz a seus seguidores que a primeira prioridade deles deve ser se tornarem piedosos e que devem tratar os outros como gostariam de ser tratados.

Jesus conclui com três ilustrações da única maneira de entrar no reino de Deus: a porta estreita (e não o caminho largo), o bom fruto (e não o ruim) e a casa construída sobre a rocha (e não sobre a areia). Os que o ouvem ficam perplexos com sua maneira de ensinar.

□ *O ministério na Galileia (8 e 9)*

Além de outros ensinamentos, nove milagres são mencionados, incluindo a cura de um leproso, do criado de um romano, da sogra de Pedro e também de muitos outros doentes e possuídos por demônios.

No mar da Galileia, Jesus acalma uma forte tempestade e salva seus discípulos aterrorizados. Depois disso, aportando na região de Gadara, ele expulsa vários demônios de um homem.

Ao voltar à Galileia, dois homens trazem-lhe um amigo paralítico em uma maca. Os líderes religiosos ficam indignados quando Jesus diz ao homem que seus pecados foram perdoados. Então, para que soubessem "que o Filho do Homem tem autoridade na terra para perdoar pecados", ele cura o homem, que se levanta e vai para casa andando (9.6,7).

Jesus chama Mateus para se tornar um de seus discípulos, agitando ainda mais os líderes religiosos quando come na casa de Mateus com pessoas que eles consideravam excluídas da sociedade. Quando os discípulos de João perguntam a Jesus por que não jejua, ele responde com três breves parábolas sobre a vinda de uma nova era.

Ele cura uma mulher que estava doente havia doze anos, ressuscita uma jovem dentre os mortos e continua ministrando na Galileia, curando um cego, expulsando demônios e ensinando sobre o reino de Deus.

□ *Fariseus e parábolas (10—13.53)*

Mateus identifica os doze apóstolos e conta como Jesus os enviou "às ovelhas perdidas de Israel" (10.6). Isso não quer dizer que Jesus não se importasse com outros grupos étnicos — de fato, ele prega pessoalmente a romanos, samaritanos e gregos.

Da prisão, João Batista envia seguidores para pedir a Jesus que confirme que ele é o Messias. Jesus lhes diz para informarem João sobre as obras milagrosas que ele está realizando e depois elogia João publicamente por sua devoção.

Após dois confrontos com os líderes religiosos sobre questões relacionadas ao *Sabbath*, os fariseus se reúnem para planejar como matar Jesus. Pensando que ele não conseguiria curar alguém que tivesse várias doenças, eles lhe trazem um homem cego, mudo e possuído por demônios. Jesus o cura com uma única ordem. No entanto, em vez de reconhecerem que Jesus é o Filho de Deus, os fariseus o acusam de ser um servo de Satanás. Jesus responde com uma advertência sobre "a blasfêmia contra o Espírito Santo" (12.31), ou seja, não aceitar os milagres de Jesus como evidência de que ele agia pelo poder do Espírito de Deus.

Quando eles querem que Jesus lhes mostre um sinal milagroso, ele prevê sua ressurreição, referindo-se à experiência de Jonas, que ficou três dias e três noites na barriga de um grande peixe.

Quando informado de que sua mãe e seus irmãos estavam esperando por ele, Jesus afirma que aqueles que fazem a vontade de Deus são sua verdadeira família.

Nessa segunda mensagem principal de Mateus, Jesus ensina por parábolas, histórias simples extraídas da vida cotidiana que revelam a verdade divina. Quando seus discípulos perguntam por que ensina dessa forma, ele chama as histórias de "mistérios do reino do céu", isto é, elas revelam verdades sobre o reino para alguns, enquanto ocultam essas mesmas verdades de outros.

Todas as sete parábolas do capítulo 13 são sobre a natureza do reino de Deus. "O reino dos céus" não se refere ao lugar para onde os crentes vão depois que morrem, mas a um reino neste mundo em que Jesus governa os que creem nele e vivem de acordo com seus ensinamentos.

□ *Oposição e profecia (13.54—16.28)*

Nem os próprios irmãos e irmãs de Jesus o reconhecem como filho de Deus. Eles ficam perplexos com seus milagres, pois o conhecem apenas como filho de um carpinteiro. O precursor de Jesus também é rejeitado; Herodes Antipas, outro filho de Herodes, o Grande, manda decapitarem João Batista.

Continuando a ministrar a grandes multidões, Jesus multiplica cinco pães e dois peixes pequenos, transformando-os em quantidade suficiente para alimentar cinco mil homens, mais mulheres e crianças, e ainda deixar cestos de sobras. Esse é o único milagre de Jesus registrado nos quatro Evangelhos. Outros milagres nem sempre são repetidos em cada um dos quatro Evangelhos.

Jesus manda seus discípulos cruzarem o mar da Galileia e se retira para orar; por volta das três da manhã, eles o veem andando sobre a água na direção deles e ficam aterrorizados. Ele garante que não há razão para temor e chama Pedro, que pisa na água e dá alguns passos antes de entrar em pânico e começar a afundar. Jesus o segura pela mão e, quando entram no barco, o vento cessa. Depois de o verem controlar a natureza, eles o reconhecem como "o Filho de Deus" (14.33) e o adoram.

À medida que continua curando as pessoas em Genesaré, uma fértil região agrícola a nordeste do mar da Galileia, Jesus enfrenta crescente oposição por parte dos líderes judeus. Ele responde às acusações chamando-os de hipócritas e alertando as pessoas sobre sua falsa piedade.

Jesus mostra sua preocupação com os gentios ao ir para Tiro e Sidom, cidades portuárias ao norte de Israel, na costa do Mediterrâneo. A maioria dos judeus evitava essas cidades porque os profetas as condenaram (veja Is 23; Ez 28); Jesus elogia uma mulher cananeia por sua fé e cura sua filha. Após um segundo milagre de alimentar milhares com alguns pães e peixes pequenos, ele parte para Magadã, na costa nordeste do mar da Galileia.

Quando fariseus e saduceus (uma seita política e religiosa que reunia pessoas abastadas) lhe pedem novamente um sinal milagroso, Jesus alerta seus discípulos para que tomem cuidado com eles, porque são dissimulados.

Em Cesareia de Filipe, cerca de quarenta quilômetros ao norte do mar da Galileia, ele pergunta: "Quem os homens dizem ser o Filho do Homem?". Depois, para os Doze, ele pergunta: "Quem vocês dizem que eu sou?". Quando Pedro responde: "Tu és o Cristo, o Filho do Deus vivo" (16.13-16), Jesus promete edificar sua igreja e diz que as portas do inferno não prevalecerão contra ela (v. 17,18). No entanto, ele choca os discípulos quando diz que está indo para Jerusalém, onde sofrerá, será morto e ressuscitará no terceiro dia. Ele usa a analogia da morte na cruz para ensinar sobre o custo de segui-lo; também diz que alguns deles "não provarão a morte até que vejam o Filho do Homem chegando no seu reino" (v. 21-28).

□ *A transfiguração (17 e 18)*

Seis dias depois, Jesus leva Pedro, Tiago e João a um alto monte. Ali, toda a sua pessoa é transformada numa revelação de sua glória futura. Moisés e Elias aparecem e conversam com ele; Deus fala de uma nuvem brilhante, exaltando Jesus como seu Filho amado e ordenando que os discípulos o escutem.

Depois de descerem a montanha, Jesus realiza outros milagres, e seus ensinamentos se concentram no estilo de vida do reino que deve caracterizar todos os que realmente experimentaram a misericórdia de Deus. Embora ninguém seja salvo pelas obras, qualquer um que não esteja sendo transformado pela graça de Deus acaba por revelar um coração perverso.

☐ *A última viagem a Jerusalém (19 e 20)*

Saindo da Galileia em direção a Jerusalém, Jesus vai para uma área a leste do rio Jordão. Ele cura os doentes e usa acontecimentos e parábolas para ensinar mais sobre o estilo de vida radical que caracteriza seus seguidores, súditos do reino de Deus. Ele prediz seu sofrimento e morte pela terceira vez; no caminho de Jericó para Jerusalém, cura dois cegos.

☐ *A semana da Paixão (21—28.15)*

A chamada semana da Paixão começa no domingo, com a "entrada triunfal" de Jesus em Jerusalém, e termina sete dias depois, quando ele é ressurreto do túmulo.

A entrada triunfal, o Templo e a autoridade de Jesus (21—23)

Jesus entra em Jerusalém vindo de Betfagé, situada cerca de um quilômetro e meio a leste, no monte das Oliveiras. Ao contrário dos governantes gentios que montam cavalos de guerra, Jesus entra na cidade montado em um humilde jumentinho, cumprindo a profecia sobre o rei de Israel (Zc 9.9). Multidões cobrem seu caminho com ramos e capas, gritando: "Bendito é o que vem em nome do Senhor!" (21.9).

Ao entrar no Templo, Jesus fica indignado com os comerciantes e cambistas que o transformaram em um bazar. Ele os expulsa, comparando-os a ladrões.

Mais tarde, quando voltava da cidade, Jesus amaldiçoa uma figueira infrutífera e ensina aos discípulos uma lição sobre oração.

As palavras e ações de Jesus provocam constantemente a ira dos membros da elite religiosa. Eles o questionam sobre o direito de purificar o Templo e sobre a reivindicação de ter autoridade divina para exercer seu ministério, mas ele responde com uma pergunta que eles não conseguem responder. Então, Jesus conta três parábolas que desmascaram a hipocrisia deles.

Como retaliação, eles tentam apanhá-lo em uma armadilha, perguntando sobre o pagamento de impostos, se há vida após a morte e qual mandamento é mais importante para Deus. Ele responde com sabedoria fenomenal, confundindo-os ainda mais com uma pergunta sobre o filho do rei Davi, e os repreende severamente. Falando às multidões e a seus discípulos, ele pronuncia sete desgraças sobre esses supostos líderes, chamando-os de hipócritas e guias cegos.

Sinais do fim dos tempos (24 e 25)

Ao deixarem o Templo, os discípulos comentam, admirados, seu esplendor. Jesus os deixa perplexos ao prever sua destruição total. Mais tarde, eles lhe perguntam sobre seu retorno e sobre o fim dos tempos.

Jesus fala de um tempo vindouro em que haverá guerras, desastres naturais e engano, *antes* que ele, o Filho do Homem, volte — ou seja, esses acontecimentos *não* sinalizam o fim — e fala sobre um sacrilégio particularmente ultrajante, que chama de "a abominação que causa desolação" (24.15).

Ele diz que sua segunda vinda será visível, gloriosa e inesperada, como foi o Dilúvio nos dias de Noé. Uma série de parábolas enfatiza a necessidade de os crentes estarem preparados e ativos no serviço; ele termina com uma ilustração inesquecível sobre ovelhas e cabritos.

Páscoa e oração; o jardim do Getsêmani (26.1-46)

Os líderes religiosos se reúnem na casa de Caifás, o sumo sacerdote, e planejam como farão para prender Jesus sem que o povo se rebele.

Em Betânia, na casa de Simão, o leproso, uma mulher sem nome (provavelmente Maria Madalena) unge Jesus com um perfume caro.

Na quinta-feira à noite, Jesus faz a tradicional refeição da Páscoa com seus discípulos. Ele prevê que Judas o trairá; sua morte inaugurará uma nova aliança que proporcionará o perdão dos pecados.

Depois da refeição, ele e os outros discípulos vão para o monte das Oliveiras. No Getsêmani, ele se retira sozinho para orar, pedindo a seu Pai que o livre do "cálice" (26.39) do sofrimento físico e espiritual, mantendo-se porém totalmente comprometido com a vontade do Pai. Os discípulos adormecem e ele os acorda quando vê Judas se aproximando com soldados armados.

Prisão, julgamento e crucificação (26.47—27.66)

Judas identifica Jesus com a tradicional saudação reservada a um rabino (mestre), beijando-o para que os soldados saibam a quem prender. Jesus não deixa que seus discípulos o defendam e se rende voluntariamente. Todos os discípulos fogem.

O Sinédrio (o conselho de anciãos; a suprema corte religiosa) quer executar Jesus, mas não consegue produzir evidências suficientes, mesmo com o depoimento de testemunhas mentirosas. Finalmente, duas testemunhas acusam Jesus de dizer que destruiria o Templo. Jesus não se defende, então Caifás diz: "Ordeno que jure pelo Deus vivo e nos diga se você é o Cristo, o Filho de Deus" (26.63). Ele responde indiretamente, dizendo que eles verão o Filho do Homem vindo da mão direita de Deus. Caifás o acusa de blasfêmia; a assembleia concorda. Eles insultam Jesus, espancam-no e cospem nele.

Pedro, que seguiu o grupo que havia prendido Jesus, está esperando no pátio. Acusado por três pessoas diferentes de ser discípulo de Jesus, Pedro nega. Após a terceira negação, um galo canta; Pedro, agora agoniado, lembra de Jesus ter-lhe dito que ele faria exatamente isso.

Após o nascer do sol, quando o Sinédrio pode se reunir legalmente, eles condenam Jesus oficialmente e o entregam a Pilatos, o governador romano da Judeia, para execução.

Esmagado pelo remorso, Judas tenta devolver o que recebeu pela traição de Jesus. Quando os membros do Sinédrio se recusam a aceitar o dinheiro de volta, Judas joga-lhes as moedas e sai para se enforcar. Eles usam o dinheiro para comprar um campo, cumprindo o que Jeremias havia profetizado (27.9,10).

Pilatos interroga o prisioneiro, mas novamente Jesus não se defende. Convencido de que Jesus não é criminoso, Pilatos tenta libertá-lo de acordo com o costume da Páscoa. Mas os líderes religiosos convencem o povo a pedir a libertação do notório criminoso Barrabás. Pilatos desiste, liberta Barrabás e ordena que Jesus seja crucificado.

Os soldados zombam de Jesus e o espancam brutalmente. Ele está tão machucado e enfraquecido que Simão, um homem de Cirene (no norte da África), é forçado a carregar a viga até o Gólgota ("Lugar da Caveira"). Jesus é despido, pregado na cruz e levantado, enquanto a viga de madeira é fixada no chão entre as cruzes de dois ladrões. Os soldados lançam sortes para dividir entre si as suas roupas.

Os romanos prendem à cruz uma placa de madeira com as palavras: "ESTE É JESUS, O REI DOS JUDEUS" (v. 37). Algumas testemunhas, incluindo os líderes religiosos, escarnecem dele, dizendo: "Salve a si mesmo! Desça da cruz, se você é o Filho de Deus!" (v. 40).

Do meio-dia até as três horas, a cena horrenda fica envolta em pesada escuridão. Jesus clama em aramaico: "Meu Deus, meu Deus, por que me abandonaste?" (v. 46). Os espectadores acham que ele está chamando por Elias e lhe oferecem vinagre.

Depois de sofrer por cerca de seis horas, Jesus entrega seu espírito voluntariamente. No mesmo instante, a grossa cortina que separa o Lugar Santíssimo do restante do Templo é rasgada de cima a baixo — Jesus abriu um caminho para *qualquer pessoa* se aproximar do Deus do universo.

Os soldados encarregados estão aterrorizados. Um deles declara: "Certamente ele era o Filho de Deus!" (v. 54). Um grupo de mulheres testemunhou a crucificação, incluindo a mãe de Jesus, a mãe de seus discípulos Tiago e João e Maria Madalena.

José, um homem rico de Arimateia, pede a Pilatos o corpo de Jesus para que possa colocá-lo em seu túmulo pessoal. Os líderes religiosos, com medo de que os discípulos de Jesus roubassem o corpo e alegassem que ele havia ressuscitado dentre os mortos, imploram a Pilatos que designe soldados para guardar a tumba. Os guardas são designados e selam a grande pedra com um selo de cera.

A RESSURREIÇÃO

Embora cada Evangelho dê sua perspectiva singular da ressurreição, os quatro autores observam que as mulheres foram as primeiras a descobrir o túmulo vazio. No domingo, duas delas foram surpreendidas por um segundo terremoto. Um anjo havia rolado a pedra que selava a tumba e estava sentado nela. Os guardas, apavorados, ficaram "como mortos" (28.4). O anjo diz às mulheres que falem aos discípulos que Jesus ressuscitou dos mortos e os encontrará na Galileia.

As mulheres saem correndo do sepulcro e, lá fora, Jesus vai ao encontro delas! Elas abraçam seus pés e o adoram. Ele lhes diz que não temam e depois repete as instruções do anjo.

Ao se recuperarem, os guardas entram na cidade para contar aos líderes religiosos o que havia acontecido. Os líderes os subornam para que digam que os discípulos de Jesus roubaram o corpo.

□ *A Grande Comissão (28.16-20)*

Quando Jesus encontra os onze na Galileia, alguns o adoram, e outros duvidam, não estando completamente convencidos de que ele ressuscitou dos mortos. Ele lhes dá a missão de fazer discípulos em toda parte, batizando-os e ensinando-lhes o que o próprio Jesus ensinou. Jesus promete que estará com os cristãos para sempre. Ele é verdadeiramente Emanuel, "Deus conosco!".

MENSAGEM

□ *O Rei prometido*

Jesus deixou claro que tinha vindo para *cumprir* a Lei e os Profetas (5.17), e Mateus, mais do que qualquer outro escritor do evangelho, enfatiza que Jesus cumpriu as profecias. Mais de sessenta vezes, ele repete: "para cumprir o que fora dito pelo profeta".

O relato de Mateus enfatiza que Jesus é o Messias-Rei de Israel, o cumprimento da promessa divina de que um descendente do rei Davi (1.1) governaria para sempre (2Sm 7.12). Jesus nasceu durante a época de Herodes, o Grande, e os romanos deram-lhe o título de "Rei dos judeus". Paranoico com a ameaça do verdadeiro rei, Herodes ordenou que seus soldados matassem todos os meninos de Belém com menos de dois anos (2.16).

Assim como Moisés, que subiu ao monte Sinai para receber a Lei, Jesus subiu ao monte para comunicar sua primeira mensagem registrada (5.1—7.29). No entanto, diferentemente de Moisés, que falava *por* Deus, Jesus falava *como* Deus. Em vez de "É isso o que o

Senhor diz", ele afirmava: "Vocês ouviram o que foi dito [...] Eu, porém, lhes digo..." (5.21-47).

E o Evangelho de Mateus proclama que Jesus é muito mais que o Messias-Rei e um novo Moisés: Jesus é o Filho de Deus, Emanuel, "*Deus conosco*" (1.23).

□ ***Relacionamento, não religião***

Cristianismo é relacionamento com Deus. O que Jesus disse sobre a justiça — "Se a justiça de vocês não for superior à dos fariseus e mestres da lei, de modo nenhum entrarão no reino do céu" (5.20) — deve ter chocado seus ouvintes. A observância escrupulosa da lei era o único padrão que eles conheciam; como eles poderiam ser mais justos que seus líderes legalistas? Jesus não estava exigindo mais; ele estava exigindo um padrão diferente, outro tipo de justiça. Em vez da prática exterior da lei, que consiste principalmente em confiar nos próprios esforços e impressionar os outros, seus seguidores devem buscar uma justiça do coração, movida por Deus e guiada pelo amor.

MARCOS

CONTEXTO

João Marcos, que escreveu esse Evangelho, teve um começo difícil em sua vida cristã.

Ele era filho de Maria, uma viúva, prima de Barnabé. Provavelmente foi ele o jovem anônimo que tirou a roupa e fugiu nu quando os romanos tentaram agarrá-lo, na noite em que prenderam Jesus (14.51,52).

Mais tarde, ficou feliz quando Barnabé lhe pediu para participar da primeira viagem missionária. Ele esperava viajar e aprender com Paulo e Barnabé, dois mestres experientes na igreja de Antioquia. Os três foram primeiro a Pafos, na ilha de Chipre, mas, por algum motivo, quando viajaram para Perge, na Galácia, Marcos deixou o grupo e voltou para Jerusalém. Paulo não esqueceu nem perdoou Marcos de imediato abandoná-los daquela maneira; ele se recusou terminantemente a levá-lo na segunda viagem (At 15.36-41).

Paulo acabou mudando de ideia sobre o primo de Barnabé. Perto do fim da vida, quando estava preso em Roma, Paulo pediu a Timóteo que trouxesse Marcos porque ele era "útil" no ministério (2Tm 4.11).

Marcos era ligado a outro famoso apóstolo. Pedro o chama de "meu filho", expressão que indica que Pedro pode ter conduzido Marcos a Jesus (1Pe 5.13).

RESUMO

☐ *João Batista e a tentação de Jesus (1.1-13)*

O Evangelho de Marcos começa com o anúncio de "boas-novas": Jesus é o Cristo, o Filho de Deus. Em seguida, uma citação do profeta Isaías apresenta João Batista.

João batiza e prega no deserto, exortando as pessoas a se arrependerem para perdão dos pecados. Vestido como um profeta do Antigo Testamento, ele anuncia a vinda do Messias, que batizará com o Espírito Santo.

João batiza Jesus no rio Jordão. Ao sair da água, o Espírito de Deus desce sobre ele como uma pomba, e a voz do Pai, vinda do céu, declara: "Tu és o meu Filho, a quem eu amo" (v. 11).

Imediatamente após o batismo de Jesus, o Espírito o leva ao deserto, onde Jesus é tentado por Satanás. Enfrentando o perigo de animais selvagens, ele é protegido por anjos.

☐ *O ministério na Galileia (1.14—9.50)*

Na primeira metade de seu Evangelho, Marcos se concentra no ministério de Jesus na Galileia. Jesus anuncia a chegada do reino de Deus e demonstra seu poder divino sobre demônios e doenças. Até as forças da natureza se submetem a ele.

Começos (1.14-45)

Depois que João é preso, Jesus anuncia a chegada do reino e chama as pessoas a se arrependerem e crerem nas "boas-novas".

Os primeiros discípulos são pescadores. Jesus lhes diz para deixarem suas redes e segui-lo.

O primeiro milagre que Marcos registra ocorre em uma sinagoga de Cafarnaum. Enquanto ensinava, Jesus é confrontado por um "espírito imundo". Repreendido com um único comando, o demônio resiste, mas sai instantaneamente. Os que ouvem os ensinamentos de Jesus e testemunham sua autoridade ficam surpresos.

Depois, Jesus vai para a casa dos irmãos Simão (Pedro) e André e cura a sogra de Simão. É o *Sabbath*, de modo que ele espera até depois do pôr do sol para curar outros e expulsar demônios.

No início da manhã seguinte, enquanto Jesus ora, os discípulos dizem que todos estão procurando por ele. Ele quer alcançar os moradores das aldeias vizinhas, de modo que eles viajam por toda a Galileia, e Jesus vai pregando e expulsando demônios.

Um leproso se aproxima, implorando: "Se quiseres, podes purificar-me" (v. 40). Jesus toca no homem, que é curado instantaneamente. Ele lhe ordena que não conte a ninguém o que aconteceu, mas que vá e se apresente ao sacerdote, como a lei exige. Em vez disso, o homem "começou a contar publicamente o fato, espalhando a notícia" (v. 45).

Cinco histórias de conflito (2.1—3.6)

Ensinando em uma casa em Cafarnaum, Jesus perdoa os pecados de um homem paralítico. Quando os escribas (mestres da lei) protestam, Jesus cura o homem como evidência de sua autoridade divina.

Depois de chamar Mateus, um cobrador de impostos, Jesus vai jantar em sua casa. Quando os escribas e fariseus o criticam por comer com "pecadores", ele diz que os doentes é que precisam de médico. Ele não veio para os que já pensam ser justos.

Em resposta à queixa de que seus discípulos não jejuam, Jesus conta uma história, em forma de parábola, sobre odres velhos e novos.

Os fariseus acusam os discípulos de violarem a lei por colherem grãos no *Sabbath*. Jesus os defende, observando que Davi e seus homens comeram pão sagrado quando estavam com fome. Os líderes religiosos entenderam errado — Deus fez o *Sabbath* para as pessoas, e não as pessoas para o *Sabbath*. "O Filho do Homem é Senhor até mesmo do sábado" (2.27,28).

Os líderes vigiavam Jesus de perto, tentando encontrar um motivo para condená-lo. Embora conhecesse a "coração endurecido deles" (3.5), ele cura um homem que tem a mão aleijada em pleno dia de sábado. Os fariseus e herodianos começam a planejar como se livrar dele.

Ministrando a grandes multidões (3.7—4.34)

O poder de Jesus para curar e expulsar demônios atrai grandes multidões vindas de todas as partes de Israel e arredores.

Ele nomeia doze apóstolos e os envia para pregar com autoridade para expelir demônios.

Seu ministério é tão extraordinário que sua família acha que ele está louco. Os líderes religiosos afirmam que ele está possuído por Belzebu (Satanás, o chefe dos demônios). Jesus diz que a acusação deles é absurda e os adverte sobre o "pecado eterno" de confundir as obras de Deus com as de Satanás (3.29).

Quando informado de que sua família biológica o procura, Jesus diz que aqueles que creem nele são sua família espiritual.

Jesus usa parábolas, histórias extraídas da vida cotidiana, para ensinar mistérios (revelações) sobre o reino de Deus. Ele explica aos Doze que os que não conseguem entendê-las não estão dispostos a ouvir a verdade. Algumas parábolas são tão difíceis de entender, que ele precisa explicá-las aos discípulos.

A leste do mar da Galileia (4.35—5.43)

O poder de Jesus é tão tremendo, que às vezes até os Doze se assustam. Ao atravessar o mar, eles são surpreendidos por uma tempestade ameaçadora. Inicialmente aterrorizados com a tempestade, eles ficam ainda mais perplexos quando Jesus acalma o mar revolto com uma única ordem.

Do outro lado do mar, Jesus realiza três milagres extraordinários. Ele liberta um homem possesso de demônios (permitindo que os espíritos entrem em um rebanho de porcos). Uma mulher que estava doente havia doze anos é curada instantaneamente ao tocar em seu manto. Além disso, Jesus ressuscita a filha de doze anos de Jairo, um líder da sinagoga. "Ele a tomou pela mão e lhe disse: *Talita cumi!*, que quer dizer: Menina, eu lhe ordeno, levante-se!" (5.41).

A morte de João, as obras de Jesus (6.1-52)

Quando Jesus retorna a Nazaré, o povo de sua cidade natal o trata com desprezo; para eles, Jesus é apenas o filho de um carpinteiro. Por causa da incredulidade deles, Jesus realiza poucos milagres ali.

Para alcançar o maior número de pessoas possível, Jesus envia os Doze aos pares, com autoridade sobre espíritos imundos. Eles devem viajar com um mínimo de roupas e depender da hospitalidade de outras pessoas para suas necessidades. Devem exortar seus ouvintes ao arrependimento, expulsar demônios e curar outras pessoas, depois de as ungirem com óleo.

Existem três opiniões sobre Jesus. Alguns acham que ele é João Batista, que voltou dos mortos; outros, o profeta Elias, do Antigo Testamento; outros pensam que ele é um dos outros profetas.

Herodes Antipas, que governa na Galileia, pensa que Jesus é João, cuja decapitação ele havia ordenado. João havia criticado Herodes por se casar com a esposa de seu irmão, Herodias; Herodes o prendeu. Quando a filha de Herodias diverte Herodes com uma dança erótica, ele jura que lhe dará tudo o que ela pedir, até metade do seu reino. Por sugestão da mãe, ela pede a cabeça de João em uma bandeja. Embora contrariado, Herodes concorda.

Depois que os discípulos retornam, contando a Jesus sobre seu ministério, eles tentam se retirar para uma área remota, mas são seguidos por grandes multidões. Quando Jesus vê a multidão, começa a ensinar-lhes. Então, em vez de mandar as pessoas embora para que possam comer em suas casas, como sugerem os Doze, Jesus alimenta milhares com apenas cinco pães e dois peixes.

Imediatamente depois, ele manda os discípulos para Betsaida, na costa nordeste do mar da Galileia, despede a multidão e se retira para orar. Antes que os discípulos consigam atravessar com segurança, um forte vento agita as ondas que se chocam contra o barco. No meio da noite, Jesus vai até eles, andando sobre a água. Ele acalma seus temores, e os fortes ventos cessam quando ele entra no barco.

Jesus visita Genesaré, Tiro, Sidom e Decápolis (6.53—8.21)

Em Genesaré (uma região na costa noroeste do mar da Galileia), Jesus continua a curar os doentes milagrosamente.

Ao contrário das pessoas que o procuram para serem curadas, os fariseus e escribas acusam Jesus e seus discípulos de desprezarem a lei porque não lavam as mãos cerimonialmente antes de comer. Jesus chama a elite religiosa de hipócrita, porque o que torna uma pessoa impura não é o que entra nela, mas o que sai.

Deixando a Galileia, Jesus segue em direção ao norte e vai para Tiro e Sidom, cidades gentias localizadas a noroeste na costa do Mediterrâneo.

Uma mulher siro-fenícia implora a Jesus que expulse um demônio de sua filha. Ele testa sua fé, inicialmente recusando-se a ajudar; ela persiste. Jesus lhe diz que volte para casa — sua filha está liberta.

Antes de voltar para o sul, em direção a Decápolis (dez cidades, nove das quais estão a leste do Jordão), um grupo de pessoas traz um homem que não pode ouvir nem falar; eles imploram a Jesus que o cure. Pondo os dedos nos ouvidos do homem, cuspindo na mão e tocando a língua do homem com sua própria saliva, Jesus olha para o céu e, com um suspiro profundo, diz: "Efatá (que quer dizer: Abra-se!)" (7.34). Os que testemunham a cura ficam surpresos e não conseguem parar de falar sobre isso (v. 36).

Ainda naquela região gentia, Jesus outra vez multiplica milagrosamente pão e peixe para alimentar mais uma multidão de milhares de pessoas.

Em seguida, Jesus e seus discípulos vão para Dalmanuta (e também Magadã), onde ele é imediatamente confrontado por fariseus que exigem um sinal milagroso. Frustrado com a incredulidade deles, ele cruza para o outro lado do mar. Jesus alerta seus discípulos sobre o "fermento" dos fariseus e de Herodes (8.14,15), mas, como eles não entendem, ele os repreende e relembra as duas vezes em que milagrosamente alimentou milhares de pessoas.

De volta a Betsaida, Jesus cura um cego.

Em Cesareia de Filipe, cerca de quarenta quilômetros ao norte, ele pergunta aos discípulos quem as pessoas pensam — e quem eles pensam — que ele é. Pedro responde: "Tu és o Cristo" (8.29). Então Jesus começa a falar sobre seu sofrimento e morte; isso é inconcebível para Pedro, que tenta fazer com que Jesus pare de falar sobre sua morte. Por causa disso, o Senhor o repreende.

Jesus ensina uma grande multidão sobre o alto custo do discipulado: "Se alguém quiser ser meu discípulo, negue a si mesmo, tome a sua cruz e siga-me" (v. 34). Qualquer pessoa que desistir de sua própria vida para segui-lo ganhará a vida eterna.

A transfiguração e lições de humildade (9.1-50)

Seis dias após a confissão de Pedro, Jesus leva Pedro, Tiago e João para um monte alto, onde ele é transfigurado. Suas roupas ficam de um branco ofuscante; Moisés e Elias estão presentes, e Deus fala aos discípulos de uma nuvem: "Este é o meu Filho amado; Ouçam-no!" (9.7). No caminho, Jesus prediz sua ressurreição, mas os discípulos não entendem do que ele está falando.

Eles encontram uma grande multidão discutindo com os outros discípulos. Um homem reclama que eles não conseguiram expulsar um demônio de seu filho. Jesus ordena que o espírito saia e nunca mais volte a entrar na criança. Quando os discípulos perguntam por que não puderam ajudar o menino, Jesus responde que esse tipo de espírito maligno só pode ser vencido por meio de oração e jejum.

Jesus prediz sua morte e ressurreição pela segunda vez; eles ainda não entendem.

Quando seus discípulos discutem sobre quem é "o maior", Jesus, com uma criança como exemplo, disse que os que servem aos outros são os maiores. Quando os discípulos se queixam de que alguém que eles não conhecem está expulsando demônios em nome de Jesus, ele lhes diz para não interferirem. Quem serve aos outros em nome dele é um amigo, não um inimigo. Os que prejudicam espiritualmente os outros — esses, sim, são os que causam dano.

☐ *A caminho de Jerusalém (10.1-52)*

Indo para o sul em direção à Judeia, Jesus atravessa o rio Jordão (na região da Pereia). Quando perguntado por um grupo de fariseus se Moisés permitiu o divórcio, ele esclarece que Deus sempre pretendeu que o casamento fosse um relacionamento duradouro e que as pessoas não devem separar o que ele uniu.

Ele fica indignado quando os discípulos tentam impedir que crianças se aproximem dele; *elas* são cidadãos-modelo do céu. Ele pega os pequeninos nos braços e os abençoa.

Depois disso, Jesus choca um governante jovem e rico que pergunta: "O que devo fazer para herdar a vida eterna?" (10.17). Ele ama o homem, que conhece todos os mandamentos; o que lhe falta é fé — no caso dele, a disposição de vender todos os seus bens e confiar em Deus. Quando o homem sai cabisbaixo, Jesus explica por que entrar no reino de Deus é tão difícil para as pessoas ricas; os bens podem ser um grande obstáculo. Ele assegura a seus discípulos que quem se sacrificar para segui-lo será ricamente recompensado e receberá a vida eterna nos tempos vindouros.

Pela terceira vez, Jesus profetiza sua morte e ressurreição.

Quando Tiago e João pedem posições privilegiadas ao lado de Jesus em sua glória, ele repreende a tolice dos dois. A grandeza no reino de Deus é o oposto da grandeza nos reinos humanos, e aqueles que a procuram devem seguir o exemplo dele. "Igualmente o Filho do Homem não veio para ser servido, mas para servir e dar a vida em resgate de muitos" (v. 45).

O último ato público de Jesus antes de entrar em Jerusalém é a cura do cego Bartimeu.

□ *O ministério em Jerusalém (11.1—13.37)*

Marcos concentra-se no conflito entre Jesus e os líderes religiosos sobre o uso da autoridade divina, principalmente quando ele expulsa do Templo os comerciantes e cambistas.

A entrada triunfal e a purificação do Templo (11 e 12)

As pessoas cobrem a estrada com suas capas e ramos de palmeiras e cantam uma canção messiânica enquanto Jesus entra em Jerusalém, montado em um jumento. Depois de visitar o Templo, ele retorna a Betânia (cerca de três quilômetros a leste) para passar a noite.

Na manhã seguinte, entrando na cidade, ele amaldiçoa uma figueira estéril e depois expulsa do complexo do Templo os que estão transformando os sacrifícios de adoração em um negócio lucrativo:

"Minha casa será chamada casa de oração para todas as nações [...] Vocês fizeram dela um covil de ladrões" (11.17).

Na manhã seguinte, os discípulos ficam surpresos ao ver que a figueira havia secado. Jesus usa a ocasião para ensinar sobre a importância da fé e também que, para que a oração seja eficaz, é preciso perdoar os outros.

A limpeza que Jesus promove no Templo irrita os líderes religiosos, que o questionam: "Com que autoridade estás fazendo essas coisas?". Ele responde com outra pergunta: "O batismo de João era do céu ou dos homens?". Eles não quiseram responder (v. 28-33).

Em vez de responder, Jesus conta uma parábola sobre agricultores que não pagam o aluguel e até matam o filho do dono das terras na esperança de reivindicar a vinha para si. Ele adverte que o proprietário destruirá os inquilinos e dará a vinha a outros.

Sabendo que a parábola é sobre eles, os líderes querem matar Jesus, mas têm medo da reação do povo.

Alguns fariseus e herodianos se unem e tentam enredar Jesus com uma pergunta sobre impostos. Não funciona; César e Deus devem receber o que lhes é devido.

Os saduceus, que não acreditam na ressurreição, apresentam a Jesus uma situação hipotética. Eles estão tentando mostrar que a ideia é absurda; Jesus diz que eles não só não entendem a natureza da ressurreição, mas também nem sequer entendem o Antigo Testamento.

Quando um escriba pergunta sobre o maior mandamento, Jesus diz que é amar a Deus com todo o seu ser e amar o próximo como a si mesmo.

Então ele pergunta aos líderes: se Davi chama o Messias de "Senhor", como o Messias pode ser filho de Davi? A discussão termina quando ele adverte sobre o espetáculo hipócrita que eles encenam.

No pátio das mulheres, Jesus e seus discípulos observavam as pessoas trazendo suas ofertas. Jesus elogia uma viúva pobre que, ao contrário das grandes ofertas dos ricos, coloca duas moedinhas no cofre — ela deu tudo o que tinha.

O discurso no monte das Oliveiras (13.1-37)

Saindo do Templo, os discípulos comentam a magnificência dos edifícios. Jesus profetiza a destruição total do templo: aquelas imensas pedras não ficariam uma sobre a outra. Intrigados, eles perguntam quando isso aconteceria.

Por terem chegado ao monte das Oliveiras, que oferece uma vista panorâmica do Templo, a resposta de Jesus é conhecida como o "Discurso do monte das Oliveiras". Muitos acreditam que sua mensagem se refere à devastação de Jerusalém pelos romanos em 70 d.C., que por sua vez prefigura um período de intensa tribulação que ocorrerá pouco antes de Jesus voltar pela segunda vez.

Jesus conclui exortando os crentes a estarem alertas e preparados: somente Deus Pai sabe a hora exata em que ele voltará.

☐ *A conspiração para trair Jesus e a preparação para a morte (14.1-52)*

Marcos agora contrasta cenas de maldade e violência com cenas de amor e compaixão.

O Sinédrio se reúne para planejar secretamente a prisão e a morte de Jesus. Em paralelo, aparece a história de Maria (14.3-5), que unge Jesus com óleo perfumado extremamente caro, e logo em seguida o texto mostra os principais sacerdotes subornando Judas para trair Jesus.

Na véspera da Páscoa, Jesus faz a refeição tradicional com os Doze. Reclinado em almofadas, ele diz que um deles o trairá. Embora ele saiba que Judas é o traidor, nenhum dos outros sabe disso. Jesus lhes dá o pão e o vinho e anuncia que esses dois elementos representam seu corpo e seu sangue. Sua morte estabelecerá uma aliança (a nova aliança, substituindo a Lei de Moisés).

Quando Jesus prevê que Pedro o negará, este diz que antes prefere morrer.

No jardim do Getsêmani, Jesus ora com tanta angústia, que se prostra em terra. "Pai, tudo é possível para ti. Afasta de mim este cálice. Todavia, não seja o que eu quero, mas o que tu queres" (14.36). Ele se submete à vontade do Pai, mesmo sabendo que sofrerá tortura brutal e uma morte excruciante.

Enquanto ele ainda está orando, Judas chega com soldados e identifica Jesus com um beijo. Pedro, tentando defender Jesus, corta a orelha do servo do sumo sacerdote. Mas Jesus não tem intenção de resistir e, ao se render, todos os discípulos fogem.

□ *Julgamento e execução (14.52—15.32)*

Após a prisão, Jesus é interrogado inicialmente por Anás, que tinha sido o sumo sacerdote antes que os romanos o removessem do cargo. Anás, então, envia Jesus a Caifás, o sumo sacerdote em exercício. Marcos faz um relato extenso da reunião preliminar do Sinédrio e, em seguida, um breve resumo da reunião legal de toda a assembleia, após o nascer do sol.

Pedro segue a turba que prendeu Jesus, mas se mantém à distância.

O Sinédrio está determinado a fazer com que Jesus seja morto, mas as falsas afirmações das supostas testemunhas são contraditórias. Frustrado, o sumo sacerdote interroga Jesus diretamente. Quando Jesus diz que ele é o Messias e que eles o verão entronizado no céu, retornando com poder, eles o acusam de blasfêmia.

Marcos registra todas as três negações de Pedro e também sua angústia, quando se lembra de que Jesus as havia predito na noite anterior.

Após o nascer do sol, o Sinédrio condena oficialmente Jesus e o envia a Pilatos, o governador romano. Embora não tivesse nenhum interesse por questões religiosas, Pilatos achou necessário interrogar Jesus para apaziguar os judeus. Imediatamente, ele pergunta: "Você é o rei dos judeus?..." (15.2).

Jesus concorda, dizendo que é como Pilatos havia falado. Embora os judeus façam todo tipo de acusação contra ele, para surpresa do governador, Jesus não se defende.

De acordo com o costume da Páscoa, Pilatos oferece a libertação do "Rei dos judeus", mas os principais sacerdotes manipulam o povo para pedir Barrabás. Eles gritam para que Pilatos crucifique Jesus.

Jesus sofre escárnio, é cruelmente espancado e depois crucificado entre dois ladrões no Gólgota.

□ *Morte, sepultamento e ressurreição (15.33—16)*

Marcos registra apenas uma das sete últimas frases de Jesus na cruz. No meio da tarde, a escuridão cobre a terra; Jesus clama em aramaico:

"Meu Deus, meu Deus, por que me abandonaste?" (15.34). Quando ele dá o último suspiro, a cortina que separa o Lugar Santíssimo do resto do Templo rasga de cima a baixo; o centurião responsável diz: "Realmente, este homem era o Filho de Deus!" (15.39).

Marcos identifica somente as mulheres que testemunharam a morte de Jesus.

José de Arimateia, um membro do Sinédrio, pede a Pilatos o corpo de Jesus e o coloca em um túmulo escavado na rocha.

Maria Madalena e Maria vão ao túmulo no domingo para ungir o corpo de Jesus com mais especiarias; eles encontram a tumba vazia. A princípio, ficam alarmadas, mas um anjo garante que elas não têm nada a temer e lhes diz para informar aos discípulos "e a Pedro" (16.7) que Jesus os encontrará na Galileia.[1]

MENSAGEM

☐ ***Uma mensagem de encorajamento***

Durante o reinado de Nero, partes de Roma foram destruídas pelo fogo. O imperador culpou os cristãos e lançou uma violenta e cruel perseguição. Marcos escreveu seu Evangelho para encorajar os crentes, enquanto suas famílias, amigos e alguns dos discípulos estavam sendo violentamente massacrados. Alguns foram embrulhados nas peles ensanguentadas de animais e jogados aos cães selvagens na arena. (Marcos é o único que observa que, quando Jesus foi tentado no deserto, animais selvagens o ameaçaram e anjos o guardaram [1.12,13]). Outros foram amarrados a postes, cobertos de breu e incendiados para fornecer luz para orgias de bêbados. O aviso de Jesus de que "cada um será salgado com fogo" (9.49) pode estar relacionado à dor infligida aos cristãos que foram queimados até a morte.

[1]A passagem de Marcos 16.9-20 não se encontra nos manuscritos gregos mais antigos, mas é incluída na maioria das traduções da Bíblia. Ela registra outras aparições de Jesus após a ressurreição, o comissionamento dos Onze e sua ascensão.

□ *Jesus é o Filho de Deus*

Marcos deixa inegavelmente claro que Jesus de Nazaré é verdadeiramente o Filho de Deus. Seu Evangelho está repleto de histórias do poder de Jesus e de sua autoridade sobre todos os reinos, espiritual e natural. Demônios se submetem às suas ordens; ventos e ondas respondem ao seu comando. Os enfermos são curados, os cegos veem e os paralíticos andam. Jesus, Deus Filho, é digno de nossa confiança absoluta, porque todas as coisas estão sob o seu controle.

O Evangelho de Marcos é cheio de ação e se desenvolve em ritmo acelerado. Passando rapidamente de um acontecimento para outro, ele apresenta Jesus como o Cristo que veio para estabelecer o reino de Deus. Esses acontecimentos identificam Jesus como Rei, não por derrotar os romanos, mas por demolir o domínio de Satanás. Embora patrióticos e cumpridores da lei, os cristãos precisam lembrar que, em última análise, somos cidadãos do reino de Deus.

Para exortar os crentes perseguidos a perseverarem em sua fé, Marcos enfatiza o triunfo de Jesus sobre o pecado e sobre Satanás. Ele faz alusão às profecias do Antigo Testamento sobre o Servo sofredor (veja Is 53) como o contexto de sua história sobre a incrível vida do Salvador. Em três ocasiões, Jesus fala do sofrimento, da morte e da ressurreição que o aguardam (8.31; 9.31; 10.33,34).

A menção do jovem que fugiu nu durante a noite provavelmente pretende enfatizar que ninguém foi corajoso o suficiente para ficar com Jesus quando ele foi preso. Seguir Jesus nem sempre é fácil; pode até ser perigoso. Qual será nossa reação se formos ameaçados, caluniados ou atacados por permanecermos fiéis a ele?

LUCAS

CONTEXTO

Lucas, um médico (Cl 4.14) gentio, escreveu o terceiro Evangelho (provavelmente não muito depois de Mateus e Marcos escreverem os deles) e o livro de Atos. Ele viajou com Paulo na segunda e na terceira viagem missionária e acompanhou o apóstolo quando este foi transferido para Roma como prisioneiro.

Seu Evangelho foi escrito (ou talvez dedicado) ao "excelentíssimo Teófilo". O nome significa "aquele que ama a Deus", e o título sugere que Teófilo era uma autoridade do governo (cf. At 24.3; 26.25). Como não se sabe mais nada a respeito desse homem, a ideia de que Lucas o conheceu quando foi chamado para tratá-lo por alguma doença é mera especulação.

No prólogo (1.1-4), Lucas diz que seu objetivo era garantir aos crentes que sua fé se baseava em fatos históricos, não em ficção. Ele assegurou a Teófilo que havia pesquisado cuidadosamente a vida de Cristo para fornecer um relato preciso e abrangente.

Lucas enfatiza a humanidade e a compaixão de Jesus. Embora fosse o Filho de Deus, ele precisava de sabedoria e poder para o ministério. Lucas registra que Jesus era um homem de oração.

RESUMO

☐ *Prólogo e nascimento de João e Jesus (1.1—2.52)*

Lucas é o único evangelista que diz o motivo pelo qual está escrevendo e identifica o destinatário. Ele apresenta Jesus a seus leitores por meio de narrativas paralelas do anúncio do nascimento, do nascimento em si e da primeira infância de João Batista e Jesus.

A seção termina com Jesus no Templo, discutindo questões sobre a lei com os mestres religiosos. Quando seus pais tentam repreendê-lo por não pensar no quanto eles ficariam preocupados por não conseguirem encontrar o filho, Jesus responde: "Vocês não sabiam que eu devia estar na casa de meu Pai?". Aos doze anos, ele conhecia Deus como seu Pai.

☐ *Batismo e tentação (3.1—4.13)*

Lucas prepara o palco para o ministério de Jesus com a descrição do ministério de João, precursor do Messias, a "voz do que clama no deserto", como previsto pelo profeta Isaías. Exortando multidões, coletores de impostos e soldados ao arrependimento, ele antecipa o ministério de Jesus aos excluídos. Embora João pregue as boas-novas, ele é preso depois de criticar Herodes Antipas publicamente por se casar com Herodias, esposa de seu irmão Herodes Filipe.

Lucas coloca a genealogia de Jesus entre o batismo e a tentação e traça sua ascendência até Adão. No batismo, o Espírito desce sobre Jesus enquanto ele ora; a voz celestial o confirma como Filho de Deus. Lucas inclui as mesmas três tentações encontradas em Mateus, mas inverte a ordem da segunda e da terceira tentação.

☐ *O ministério na Galileia (4.14—9.50)*

Em seu relato das palavras e obras de Jesus na Galileia, Lucas enfatiza que Jesus ministra no poder do Espírito.

Jesus começa seu ministério em uma sinagoga da cidade onde cresceu, Nazaré. Depois de ler um trecho de Isaías, Jesus afirma que o Espírito o ungiu para proclamar "boas-novas" aos cativos do pecado, particularmente os pobres e oprimidos. Seus ouvintes rejeitam sua reivindicação porque o conhecem apenas como o filho de José;

eles explodem de raiva quando Jesus lhes recorda como Deus alcançou os gentios por meio dos profetas Elias e Eliseu.

Na Galileia, Jesus demonstra sua autoridade divina por meio de seus ensinamentos e milagres. A ênfase de Lucas está em seu poder milagroso. Ele registra treze milagres e apenas uma parábola. Com uma única ordem, Jesus expulsa demônios; com um toque, cura pessoas de várias doenças. Ele tem poder até sobre a natureza: acalma uma tempestade que ameaça inundar o barco em que ele e seus discípulos estão, ao atravessar o mar da Galileia.

Jesus também se dedica a treinar seus discípulos para o ministério. O treinamento deles tem três pontos decisivos.

Depois de passar a noite toda em oração, Jesus designa doze discípulos como apóstolos. Após vários meses de treinamento, ele envia os Doze para proclamar o reino de Deus e lhes dá poder e autoridade para expulsar demônios e curar doentes.

A princípio, os discípulos não têm certeza de quem Jesus é, mas, quando ele lhes pergunta: "Quem vocês dizem que eu sou?", Pedro responde: "O Cristo de Deus" (9.20). Contrariando a expectativa de que o Messias expulsaria os romanos, Jesus diz que sua missão é sofrer e morrer.

Oito dias depois, Jesus leva Pedro, Tiago e João para uma montanha onde é transfigurado. Enquanto orava, o rosto de Jesus muda e suas roupas ficam de um branco ofuscante. Moisés e Elias aparecem, e Jesus lhes fala sobre sua partida (morte). Uma nuvem os envolve e Deus anuncia: "Este é o meu Filho [...] ouçam-no" (v. 35).

□ *O ministério a caminho de Jerusalém (9.51—19.27)*

A terceira seção principal começa com Jesus tomando a decisão de ir para Jerusalém. Ele sabe que vai morrer lá, mas está determinado; ele sabe que vencerá a morte e depois retornará ao céu (9.51). Sua jornada final não é direta, já que ele sai da Judeia para a Pereia, e de lá para Jerusalém.[1]

[1]A designação "Pereia", em si, não é usada nos Evangelhos; os escritores se referem a essa província romana como "o outro lado do Jordão" porque ela se situava a leste do rio Jordão.

Lucas, cuja ênfase aqui está na pregação de Jesus, é o único escritor dos Evangelhos que fornece um relato detalhado de seu ministério na Pereia. Essa seção, que contém 22 parábolas e apenas três milagres, destaca dois temas principais: o ministério de Jesus aos não israelitas e o alto custo do discipulado.

O texto de Lucas 15 contém três parábolas clássicas. Em resposta às críticas dos líderes religiosos de que recebia e fazia amizade com "publicanos e pecadores", Jesus conta as histórias da ovelha perdida, da moeda perdida e do filho pródigo. Todas as três enfatizam diferentes aspectos do maravilhoso amor de Deus pelos perdidos.

A seção termina com a história de Jesus e Zaqueu, um importante chefe (supervisor) dos publicanos — assim duplamente desprezado pelos judeus — e a Parábola das Dez Minas (moedas).

□ *O ministério em Jerusalém (19.28—21.38)*

Todos os quatro escritores dos Evangelhos registram a entrada triunfal de Jesus em Jerusalém como o início da narrativa da "Paixão". Jesus enfurece a elite religiosa ao expulsar cambistas do Templo. Eles desafiam sua autoridade e tentam, sem sucesso, apanhá-lo numa armadilha fazendo perguntas capciosas.

Assim como em Marcos, Jesus elogia uma viúva pobre que oferta a Deus suas duas últimas moedas.

Quando seus discípulos exaltam o esplendor do Templo, Jesus prediz a ruína total de Jerusalém, bem como um período de extrema tribulação antes de seu retorno.

□ *Prisão, julgamentos, crucificação e ressurreição (22.1—24.53)*

Na última seção, Lucas inclui acontecimentos que antecederam a prisão de Jesus, a crucificação, três relatos da ressurreição e a ascensão. Se Teófilo era uma autoridade do governo e tinha preocupações por causa da execução de Jesus, faria sentido Lucas enfatizar que ele não era criminoso.

Sabendo que Jesus iria a Jerusalém para a Páscoa, os principais sacerdotes e escribas planejam se livrar dele, mas têm medo da reação do povo, se Jesus for preso publicamente. Eles encontram a oportunidade quando Satanás instiga Judas a trair Jesus.

Enquanto celebrava a refeição da Páscoa com seus discípulos, Jesus resolve uma disputa sobre quem ocupa posição mais importante, prediz a negação de Pedro e diz aos discípulos que, no futuro, eles precisarão suprir suas próprias necessidades no ministério.

Jesus é preso enquanto orava no jardim. Pedro acompanha de longe o grupo que o prendeu e, quando perguntam a ele se é um de seus discípulos, três vezes nega conhecer Jesus.

Na fase final dos julgamentos de Jesus, ele é condenado pelo Sinédrio e entregue a Pilatos para a execução. Embora Pilatos não ache que Jesus seja culpado, os principais sacerdotes insistem que Pilatos o execute. Como Jesus era natural da Galileia, Pilatos o envia a Herodes, porque a Galileia era sua jurisdição. Os soldados de Herodes escarnecem de Jesus e depois Herodes o envia de volta a Pilatos.

Pilatos tenta libertar Jesus, mas a multidão clama por Barrabás, um notório terrorista. Por fim, Pilatos ordena que Jesus seja crucificado junto com dois ladrões. Um dos dois zomba de Jesus; o outro reconhece sua inocência. Até mesmo o centurião declara que Jesus era "um homem justo" (v. 47). Espectadores batem no peito, um gesto simbólico de remorso pela terrível injustiça de executar Jesus.

José de Arimateia pede o corpo a Pilatos e sepulta o Senhor no túmulo que lhe pertencia.

Como está escrito nas Escrituras, Jesus não pode ser derrotado pela morte. No domingo, as mulheres descobrem a tumba vazia, e o Senhor ressuscitado aparece primeiro para elas, depois para dois homens no caminho de Emaús, e depois para as onze no cenáculo.

Lucas conclui seu Evangelho com o relato da ascensão de Jesus ao céu e o retorno dos discípulos a Jerusalém, como Jesus havia ordenado.

MENSAGEM

Lucas, que faz o relato mais longo e abrangente da vida de Cristo, retrata Jesus como "o Filho do Homem [que] veio buscar e salvar os perdidos" (19.10). Jesus não veio para expulsar os romanos, mas para sofrer e morrer como o Salvador do mundo. E, depois disso, ele encarregou seus seguidores de levarem o evangelho até os confins da terra.

Lucas destaca o ministério de Jesus aos pobres, pecadores, samaritanos e gentios — os desprezados e marginalizados pela maioria dos judeus. Jesus é realmente o Messias de Israel, mas ele é mais do que isso: é o Salvador de todos os que creem. Depois de ler o Evangelho de Lucas, ninguém deve pensar que se encontra tão longe de Deus a ponto de ser esquecido. E nenhum de nós pode menosprezar outra pessoa, considerando-a sem importância para Deus. Por sua vez, Jesus está especialmente preocupado com os pobres e desamparados.

O transbordante amor de Deus pelos perdidos é visto claramente nas histórias de Lucas sobre Jesus como o Médico dos médicos. Ele veio para os "doentes", aqueles desprezados como párias, não para os "sãos", que se consideravam justos (5.31). O exemplo das relações afetuosas de Jesus com cobradores de impostos, mulheres imorais e os pobres nos obriga a acolher os que são considerados indesejáveis (p. ex., 7.36-50; 10.38-42; 17.11-19; 19.1-10).

Lucas também encoraja os crentes a orarem, observando que Jesus orou em ocasiões críticas. Jesus estava orando no momento de seu batismo. Ele frequentemente se retirava do ministério para orar. Ele orou a noite toda antes de escolher os Doze. Quando deixou as multidões para orar e ficou sozinho com seus discípulos, ele perguntou: "Quem vocês dizem que eu sou?". Quando subiu a uma montanha para orar, foi transformado. Depois de avisar a Pedro que ele seria testado por Satanás, Jesus garantiu que havia orado fervorosamente por ele. Para se preparar para a dor da morte na cruz e assumir o pecado do mundo, Jesus prostrou-se com o rosto em terra e orou ao Pai.

Finalmente, vemos o coração do Pai de forma singular na Parábola do Filho Pródigo (15.11-31). Ainda que tenha desperdiçado sua herança, quando o filho chega em casa, o Pai corre para abraçá-lo. Essa é uma imagem vívida do amor incondicional de Deus. Embora possamos nos rebelar contra ele e talvez desperdiçar a vida, podemos ter certeza de que, se voltarmos para o Pai, ele nos acolherá de braços abertos.

JOÃO

CONTEXTO

João, conhecido como o discípulo amado ou o discípulo que Jesus amava (p. ex., 13.23; 19.26; 20.2; 21.20), escreveu o quarto Evangelho. Ele era filho de Zebedeu, pescador e um dos Doze. Ele serviu a Cristo como pastor, teólogo e evangelista.

João declara seu objetivo em 20.30,31: convencer as pessoas de que Jesus é o Cristo ("o ungido") e o Filho de Deus, e para que, crendo nele, tenham vida.

João (1.1-18) identifica Jesus como o Verbo preexistente (*logos*) que estava com Deus e é Deus (1.1). Ao longo de todo o livro, João enfatiza a divindade de Jesus; sete vezes Jesus afirma que ele é o "Eu Sou" (o nome divino de Deus no Antigo Testamento; p. ex., Êx 3.14). Quando os líderes religiosos questionam sua identidade, Jesus diz: "Eu e o Pai somos um" (10.30). Por sua reivindicação de igualdade com Deus, os judeus tentam apedrejá-lo (10.32,33).

Quando João diz querer que as pessoas creiam para que possam ter vida, a "vida" é uma realidade presente e futura. A pessoa que crê em Jesus viverá; embora morra fisicamente, nunca morrerá espiritualmente (11.25-27).

RESUMO

□ *Introdução (Prólogo; 1.1-18)*

O Evangelho de João começa com seis declarações surpreendentes sobre Jesus Cristo. Primeira: o Verbo (Jesus) é realmente Deus e existia mesmo antes da criação.

Segunda: Deus criou tudo por meio do Verbo, que trouxe luz ao mundo. Embora o Verbo seja o Criador, o mundo que ele criou o rejeitou.

Terceira: Jesus, o Verbo, veio em carne para revelar a glória de Deus.

Quarta: Jesus é maior que João Batista, porque existia antes de João e trouxe graça e verdade em abundância incomensurável.

Quinta: Jesus é maior que Moisés. A Lei foi dada por Moisés, mas a graça e a verdade vieram por meio de Jesus Cristo.

Sexta: "Ninguém jamais viu a Deus, mas o Filho único, que é Deus e tem um relacionamento mais próximo com o Pai, o tornou conhecido" (1.18).

□ *O livro de sinais (1.19—12.50)*

Na primeira seção principal, João registra sete milagres e sete mensagens. Ele se refere aos milagres de Jesus como "sinais", pondo mais ênfase no significado dos acontecimentos do que em sua natureza miraculosa.

Alguns acham que João Batista pode ser o Cristo ("o ungido"), o profeta Elias ou até Moisés. João afirma que não é ele o Cristo e diz que é o mensageiro de Deus que veio para preparar as pessoas para a vinda do Senhor.

Depois, João identifica Jesus: "Vejam, este é o Cordeiro de Deus que tira o pecado do mundo!" (1.29). Jesus começa a recrutar seus discípulos. Eles não são ricos nem famosos; são pessoas comuns. Mas todos eles aguardavam a vinda do Messias e respondem com entusiasmo ao seu convite.

O primeiro sinal milagroso que João registra ocorre em um casamento em Caná, na Galileia. Quando o vinho da festa acaba, Jesus transforma aproximadamente setecentos litros de água em vinho. A abundância simboliza o início da nova era da bênção messiânica.

Chegando em Jerusalém, Jesus vai para o Templo e vê a profanação do local sagrado de adoração. Mercadores gananciosos estão tratando a casa de Deus como se fosse um mercado. Ele os expulsa de lá.

Embora Jesus ministre publicamente em Jerusalém, João se concentra em seu encontro com um fariseu chamado Nicodemos, a quem Jesus surpreendeu ao dizer que ele precisava de uma renovação espiritual para poder entrar no reino de Deus.

Ao partir para a Galileia, Jesus passa por Samaria, uma rota que muitos judeus evitam. Judeus e samaritanos se desprezam; até seus discípulos se surpreendem quando param na aldeia de Sicar. Jesus pede água a uma mulher samaritana, depois oferece sua "água viva" (4.10) e revela que ele é o Messias, que tanto os samaritanos quanto os judeus esperavam. Quando a mulher conta às pessoas sobre seu encontro com ele, todos concluem que ele é realmente o Salvador do mundo.

Jesus retorna a Caná e, embora passe cerca de um ano e meio na Galileia, João registra ali apenas a cura milagrosa do filho de um oficial.

O ministério de Jesus em Jerusalém (5.1—10.42)

Jesus retorna a Jerusalém para uma festividade (provavelmente a Festa dos Tabernáculos), e seu próximo sinal milagroso inicia uma série de conflitos com os líderes judeus por supostas violações da lei. No tanque de Betesda, ele curou um homem que era inválido havia 38 anos. Os judeus criticam Jesus por curar o homem no *Sabbath*.

Jesus responde às críticas com um discurso importante. Ele afirma que suas obras milagrosas estão em harmonia com Deus, seu Pai, e apela a Moisés como testemunha.

O próximo sinal ocorre perto do mar da Galileia (ou Tiberíades). Depois que Jesus ensina a uma grande multidão, os discípulos querem mandar as pessoas para casa, mas ele insiste em alimentá-las. Com cinco pães e dois peixes, Jesus fornece comida para milhares de pessoas e ainda sobram doze cestos.

Somente os Doze testemunham o quinto sinal. Ao cair da noite, Jesus os manda de volta ao mar. No meio da madrugada, ele se aproxima do barco, andando sobre a água. Depois que ele entra, eles chegam à outra margem.

No dia seguinte, as pessoas estão intrigadas; elas só veem um barco e sabem que Jesus não tinha entrado nele quando zarpou. Ele usa a ocasião para seu próximo discurso importante. Ele diz que é "o pão da vida" (6.35). Embora Moisés tenha fornecido alimento para os israelitas no deserto, o povo acabou morrendo. No entanto, se as pessoas comerem o pão que Jesus oferece, nunca morrerão.

Quando Jesus retorna a Jerusalém, os judeus debatem publicamente sua identidade. Ele deixa seus oponentes perplexos com seus ensinamentos. Quando lhe perguntam como ele conhece as Escrituras sem ter tido nenhum treinamento formal, ele diz que seu mestre foi aquele que o enviou — Deus. Essa alegação divide ainda mais os judeus. Alguns querem matá-lo; acreditam que ele está possesso por demônios. Outros discordam e pensam que ele pode ser o Messias.

A história da mulher apanhada em adultério provavelmente é autêntica, mas ao que parece não faz parte do relato original de João sobre a vida de Cristo.

Em seu quarto discurso, Jesus afirma que ele é "a luz do mundo" (8.12). Quando os judeus contestam seu testemunho, Jesus diz que eles não creem nele porque não conhecem a Deus e são escravos do pecado. Quando ele se identifica com Deus, que havia aparecido a Abraão, eles tentam apedrejá-lo por blasfêmia.

O sexto sinal milagroso de Jesus está ligado à sua afirmação de ser a luz do mundo. Ele restaura a visão de um homem cego de nascença, mas, como faz isso no *Sabbath*, os líderes religiosos ficam desconfiados. Eles interrogam o cego e, quando ele insiste que Jesus o curou, o expulsam da sinagoga. Jesus ouve o que aconteceu e diz que os fariseus são espiritualmente cegos.

Em seu quinto discurso, Jesus critica os líderes religiosos, dizendo que são falsos pastores e ladrões que querem roubar o povo de Deus. Já ele é "o bom pastor" (10.10,11), disposto a dar a vida por suas ovelhas. Como nas outras ocasiões, seu ensino divide os judeus.

Quando os líderes exigem que ele prove que é o Messias, Jesus reivindica unidade absoluta com Deus: "Eu e o Pai somos um" (10.30). Mais uma vez, os judeus tentam apedrejá-lo.

Jesus e seus discípulos deixam Jerusalém, atravessando o rio Jordão e entrando na Pereia.

A RESSURREIÇÃO DE LÁZARO (11.1-57)

Jesus não fica muito tempo ali. Recebendo a notícia de que seu amigo Lázaro está em estado terminal, ele volta para Betânia, na Judeia. Lázaro morreu, mas Jesus diz às irmãs dele, Marta e Maria, que ele é "a ressurreição e a vida" (11.25) e que todo aquele que crê nele viverá, ainda que morra. Então ele ressuscita Lázaro dentre os mortos; o sétimo e culminante sinal milagroso no Evangelho de João é uma evidência tão convincente da divindade de Jesus, que Caifás e a suprema corte religiosa planejam prendê-lo e executá-lo por blasfêmia.

JESUS É UNGIDO EM BETÂNIA; SUA ÚLTIMA MENSAGEM PÚBLICA (12.1-50)

Em Betânia, Maria unge os pés de Jesus com os cabelos, um prenúncio de sua morte e sepultamento.

O último milagre suscitou tanto apoio a Jesus que os principais sacerdotes decidem matar Lázaro também.

Quando Jesus faz sua entrada final em Jerusalém, grandes multidões o saúdam como seu rei que havia de vir; as multidões não incluem os fariseus. Sabendo que estão planejando matá-lo, Jesus diz que Deus o glorificará por meio de sua morte.

Em sua última mensagem pública, Jesus fala com gregos que haviam ido a Jerusalém para a Páscoa. Ele veio como a "luz" (12.35,36), para salvar, não para julgar, mas aqueles que o rejeitarem serão julgados no final, e os que crerem receberão a vida eterna.

☐ *O livro do serviço (13.1—17.26)*

Somente João dá um relato detalhado dos ensinamentos de Jesus no cenáculo, na véspera da Páscoa. Reunido com seus discípulos para a refeição e assumindo o papel de servo, ele lava os pés deles e os chama a seguir seu exemplo de humildade servindo aos outros.

Depois de prever que Judas o trairá, Jesus volta sua atenção para os Onze. Ele lhes dá um novo mandamento: amar sacrificialmente uns aos outros como ele os amou. Ele os surpreende ao revelar que está prestes a partir, mas garante que isso está de acordo com o plano de Deus.

Eles estão ansiosos; para tranquilizá-los, Jesus faz três promessas. Primeiro, ele diz que está indo para preparar-lhes um lugar, mas voltará para levá-los para junto de si. A segunda promessa é que ele enviará seu Espírito — "outro Advogado" (Auxiliador ou Paráclito; 14.16) que estará com eles para sempre. Jesus avisa que eles serão perseguidos, como ele tem sido, mas o Espírito os ajudará e permitirá que testemunhem ao mundo. Terceiro, ele diz que é a videira verdadeira, e eles são os ramos. Se permanecerem ligados a ele, serão frutíferos, assim como Jesus havia sido.

Jesus conclui seu ministério ali com uma oração: 1) para que, mesmo na morte, possa glorificar seu Pai, 2) pela proteção espiritual e fidelidade de seus discípulos e 3) pela unidade e glória daqueles que se tornarão crentes.

□ *O livro do sacrifício (18.1—21.25)*

A última seção principal se concentra na prisão, julgamento, morte, sepultamento e ressurreição de Jesus. João deixa claro que Jesus vai para a cruz voluntariamente. Ele se rende aos soldados enviados para prendê-lo. João registra o interrogatório do sumo sacerdote Anás e a decisão de Pilatos de mandar Jesus para a morte.

Pilatos tenta não se envolver; os líderes judeus insistem que Jesus é um criminoso digno de morte. Pilatos se propõe a libertá-lo, mas os judeus gritam: "Não, ele não! Entrega-nos Barrabás" (18.40). Pilatos liberta o criminoso violento e condena Jesus a ser crucificado.

Sua cruz é posta entre dois ladrões no Gólgota, "o lugar chamado Caveira". Antes de morrer, Jesus deixa a mãe aos cuidados de João, seu discípulo amado. Tendo cumprido sua missão como sacrifício pelos pecados do mundo, ele inclina a cabeça e entrega o espírito. Soldados perfuram seu lado para garantir que ele esteja morto antes de remover seu corpo.

José de Arimateia pede a Pilatos o corpo de Jesus e, com a ajuda de Nicodemos, coloca Jesus em seu próprio túmulo.

A morte de Jesus não é o fim da história. No domingo, Maria Madalena descobre uma tumba vazia. Quando ela conta a Pedro e João, eles correm para o túmulo e também veem que está vazio. Pensando que alguém roubou o corpo, Maria está chorando perto do túmulo quando Jesus aparece para ela. Quando ela o reconhece: "Rabôni!" ("Mestre") (20.16), ele lhe diz que vá e conte a seus discípulos que ele está vivo.

Naquela noite, Jesus aparece aos discípulos, que se reuniram secretamente, com medo dos judeus. Mais tarde, Jesus aparece a Tomé, que inicialmente duvidava que Jesus tivesse ressuscitado. Quando Tomé o vê, exclama: "Senhor meu e Deus meu!" (20.28).

O livro de João termina com a aparição de Jesus a seus discípulos enquanto eles pescam no mar da Galileia. O evangelista destaca a reintegração de Pedro, a negação de um boato de que João não morreria e uma declaração sobre a veracidade do que escreveu.

MENSAGEM

Mais do que qualquer outro Evangelho, João enfatiza que Jesus é o Filho de Deus. Mesmo no século 1, os céticos negavam que Jesus Cristo tivesse vindo como Deus em carne. Alguns pensavam que ele havia sido um mero homem; eles alegavam que o Espírito desceu sobre Jesus no momento do batismo, mas depois partiu antes de sua morte. Outros pensavam que Jesus era apenas um espírito e só parecia ser humano. João dissipa os dois conceitos errôneos, insistindo que Jesus sempre existiu e é o Filho de Deus, em carne e osso, que veio para revelar o Pai (1.1,14,18).

Em João, testemunhamos como Jesus cruzou fronteiras sociais e étnicas para levar a vida eterna aos perdidos. Ele estendeu a mão a uma mulher samaritana, embora ela fosse menosprezada pelos judeus e uma pária até em sua própria aldeia (4.1-26). Mesmo sendo um tabu social interagir com ela, Jesus ofereceu-lhe "água viva". Como reagimos quando encontramos pessoas que são diferentes de nós? Nenhuma barreira social incomoda a Deus (nem mesmo constitui uma barreira para ele), e jamais deve nos impedir de oferecer a água da vida eterna.

Jesus não é apenas o Messias de Israel. Como disseram os samaritanos sobre o testemunho da mulher: "Nós mesmos ouvimos [...] este é realmente o Salvador do mundo" (4.42).

No chamado Discurso no Cenáculo (a mensagem final de Jesus para seus discípulos antes de sua morte), ele ensinou sobre o que eles deveriam esperar depois que ele voltasse para seu Pai (13—17). Embora estivessem angustiados por ele estar indo embora, Jesus garantiu que isso era para o bem deles e prometeu enviar outro "Consolador", o Espírito Santo de Deus (14.16,17). O que Jesus disse nos informa sobre o ministério do Espírito. O Espírito é um presente permanente de Cristo para os crentes. Ele conforta, encoraja, guia e capacita os crentes para darem testemunho diante do mundo. E o Espírito convence o mundo (incrédulos) do pecado, da necessidade de justiça e do julgamento (16.8).

A promessa de Jesus de que enviaria o Espírito foi cumprida no dia de Pentecostes (At 2).

ATOS

CONTEXTO

Lucas, um médico e o único escritor gentio do Novo Testamento, escreveu Atos. Lucas acompanhou Paulo na segunda e na terceira viagem missionária e estava com ele quando o apóstolo foi levado para Roma como prisioneiro. Ele usa o pronome pessoal da primeira pessoa, *nós*, em várias passagens narrativas (16.10-18; 20.5-15; 21.1-18; 27.1—28.16).

O livro de Atos é o segundo volume da história de Lucas sobre as origens do cristianismo. O terceiro Evangelho e o livro de Atos foram escritos para a mesma pessoa, Teófilo (Lc 1.1-4). Seu Evangelho fala do nascimento e da vida de Cristo; Atos fala do nascimento e crescimento da igreja.

A passagem de Atos 1.8 fornece um resumo das divisões geográficas do livro. Depois de receber o dom do Espírito Santo, os primeiros cristãos foram testemunhas em Jerusalém e na Judeia, em Samaria e "até os confins da terra".

No começo, cerca de cento e vinte crentes estão reunidos em Jerusalém para orar e aguardar o dom do Espírito (1.15). O livro termina com Paulo, em prisão domiciliar em Roma, ensinando corajosamente sobre o reino de Deus (28.30,31). O cristianismo havia se espalhado de Jerusalém a Roma; a igreja já havia crescido de algumas dezenas a milhares de pessoas.

O Espírito foi a razão desse crescimento notável. Antes de sua morte, Jesus havia prometido capacitar seus seguidores com o dom do Espírito Santo (Jo 16.5-7). Após seu retorno ao céu, Jesus cumpriu a palavra no Pentecostes. Enquanto se encontravam no cenáculo, seus seguidores, homens e mulheres, ficaram subitamente cheios do Espírito de Deus (2.1-4). No poder do Espírito, os seguidores de Cristo proclamaram ousadamente o evangelho a judeus, samaritanos e gentios, de Jerusalém a Roma. Cada fase do crescimento da igreja ocorreu sob a direção do Espírito.

RESUMO

☐ ***O dom do Espírito Santo; um substituto para Judas (1.1—2.47)***

Lucas dedica o livro a Teófilo e continua o relato do que Jesus fez depois de sua ressurreição e antes de sua ascensão.

Para que não restasse nenhuma dúvida de que havia ressuscitado, ele apareceu aos apóstolos várias vezes, ensinou sobre o reino de Deus, prometeu o dom do Espírito e comissionou os apóstolos como testemunhas.

Quando Jesus retorna ao céu em uma nuvem, dois anjos asseguram aos seus seguidores confusos que ele voltará.

Os apóstolos retornam a Jerusalém como Jesus ordenou. Eles se reúnem para orar em uma sala no andar de cima de uma casa, junto com várias mulheres e com os irmãos de Jesus.

Referindo-se ao que Davi previu nos Salmos, Pedro recomenda que eles escolham um substituto para Judas, que havia cometido suicídio depois de trair Jesus. Usando um método do Antigo Testamento para determinar a vontade de Deus, eles lançam sortes. A sorte recai sobre Matias.

No dia de Pentecostes, quando os crentes recebem o dom do Espírito Santo, os agora seguidores de Jesus cheios do Espírito começam a louvar a Deus em línguas.

Essa capacidade sobrenatural chama a atenção dos judeus que vieram a Jerusalém de todos os lugares, e Pedro aproveita a oportunidade. Para a multidão reunida, ele diz que o dom do Espírito é o cumprimento da profecia de Joel e proclama Jesus como Messias e Senhor. Ele dá três provas: seus milagres, sua ressurreição e sua exaltação.

Os ouvintes são convencidos; quando perguntam o que devem fazer, Pedro diz que, se eles se arrependerem, Deus perdoará seus pecados e lhes dará o Espírito. Cerca de três mil chegam à fé naquele mesmo dia.

A igreja primitiva é uma comunidade unida e dedicada à Palavra de Deus, à oração e à comunhão. Eles se reúnem em casas, ajudam-se mutuamente e têm um crescimento numérico sobrenatural.

☐ *Milagre e mensagem (3.1-26)*

Os acontecimentos do capítulo 3 são até certo ponto paralelos aos do capítulo 2. Um acontecimento milagroso atrai uma grande multidão, permitindo que Pedro pregue outra mensagem sobre Jesus. Em consequência disso, "o número de homens que creram aumentou para quase cinco mil" (4.4).

Quando se dirigiam para adorar no Templo, Pedro e João passam por um homem deficiente que implorava por dinheiro. Pedro cura o homem, que, então, corre para o templo. Sua cura é pública, e rapidamente forma-se uma multidão vinda de todos os cantos de Jerusalém para descobrir o que aconteceu.

Vendo a multidão, Pedro declara que o homem foi curado em nome e pelo poder de Jesus. Ele, então, culpa seus compatriotas pela morte de Cristo, mas diz que Deus o ressuscitou dentre os mortos. Ele identifica Jesus como o servo do Senhor e o autor da vida. Mais uma vez ele diz que, se eles se arrependerem, serão purificados de seus pecados e que Cristo voltará como os profetas prometeram.

☐ *Crescimento e oposição (4.1—9.31)*

Aqui Lucas registra quatro problemas que ameaçam a vida da igreja. As narrativas seguem um padrão literário que alterna o tipo de problema: externo, interno, externo, interno.

Primeiro, Pedro e João são presos por ensinar que Jesus ressuscitou dos mortos, mas são libertos por causa da evidência irrefutável de que o homem com deficiência foi curado em nome de Jesus. Quando eles relatam que as autoridades religiosas os ameaçaram, os crentes buscam o Senhor em oração. O Senhor responde com um novo enchimento do Espírito, e eles continuam a pregar a Palavra de Deus.

Segundo, os primeiros crentes são ao mesmo tempo compassivos e generosos, usando de bom grado seus recursos para ajudar os necessitados. Lucas lista Barnabé como um excelente exemplo. Ao contrário deles, Ananias e Safira mentem sobre ofertas prometidas à igreja e, com isso, poderiam corromper a assembleia. Quando Pedro os confronta, eles morrem na hora.

Terceiro, os apóstolos são presos por saduceus invejosos, mas são milagrosamente libertos por um anjo. Quando as autoridades religiosas descobrem o que aconteceu, ordenam que os apóstolos sejam açoitados e que nunca mais preguem em nome de Jesus.

Quarto, o crescimento da igreja é ameaçado pela discriminação interna: os crentes que falam hebraico (aramaico) estão deixando de dar comida às viúvas de língua grega. Quando estas reclamam, a igreja escolhe homens para supervisionar a distribuição equitativa.

Lucas, então, se concentra em três indivíduos-chave que representam o testemunho da igreja para judeus, samaritanos e gentios.

Estêvão, preso e acusado de blasfêmia, oferece uma defesa extraordinariamente poderosa diante do Sinédrio, enfurecendo as autoridades, que o apedrejam até a morte. Lucas apresenta Paulo (na época, ainda *Saulo*), observando que ele testemunhou a execução de Estêvão.

Quando a perseguição força os fiéis a fugirem de Jerusalém, Filipe vai para Samaria. Seu testemunho leva muitos samaritanos a crerem, mas eles não recebem o Espírito até Pedro e João chegarem de Jerusalém e imporem as mãos sobre eles. Quando Simão, um mágico samaritano, tenta comprar o poder do Espírito, Pedro o repreende severamente. Depois de servir em Samaria, Filipe vai para Gaza, onde testemunha para um eunuco etíope e o batiza.

Nesse ponto, Paulo (Saulo) não é crente — ele está determinado a destruir o movimento no nascedouro. No entanto, ele é milagrosamente convertido no caminho para Damasco, quando tem um encontro com o Cristo ressuscitado. Em Damasco, um crente chamado Ananias comissiona Paulo como apóstolo dos gentios.

□ *Pedro e Cornélio (9.32—12.24)*

Embora Paulo tenha sido escolhido para servir dessa maneira, Deus usa Pedro para validar uma estratégia radical e controversa que envolve cristãos judeus ministrando aos gentios.

Capacitado para realizar milagres fora de Jerusalém, Pedro cura Eneias em Lida, onde muitos creem em Jesus, e ressuscita Dorcas dentre os mortos em Jope, onde muitos mais vêm a Cristo. Ele mostra abertura para ignorar os costumes tradicionais ao ficar na casa de Simão, o curtidor de peles de animais, que os judeus consideram impuro.

Em uma visão, Cornélio, um oficial (gentio) do exército romano, é instruído a mandar buscar Pedro. Em outra visão, Deus também instrui Pedro a encontrar-se com Cornélio. Por consequência do ministério de Pedro, Cornélio e sua família se tornam os primeiros gentios convertidos ao cristianismo.

Quando os membros da igreja de Jerusalém ouvem sobre a ministração de Pedro a um gentio, eles protestam, mas Pedro explica que o Senhor o dirigiu e que os gentios haviam recebido o Espírito exatamente como os judeus no Pentecostes.

Os crentes judeus dispersos pela perseguição são corajosos o suficiente para pregar a Palavra de Deus aos gentios. Um grande número de pessoas responde à pregação, e a igreja de Jerusalém envia Barnabé a Antioquia. Ao chegar, ele envia Paulo para ajudar a ministrar aos novos convertidos. Em Antioquia, os crentes são chamados de cristãos pela primeira vez.

Herodes Agripa I, num rompante de perseguição, ordena que o apóstolo Tiago seja preso e executado. Quando percebe que os judeus o aprovam, manda prender Pedro e planeja matá-lo também. Em resposta à intensa oração da igreja, um anjo milagrosamente liberta Pedro.

Logo depois, quando o rei aceita ser adorado como um deus pelos moradores de Tiro e Sidom, um anjo do Senhor o atinge e ele morre de uma dolorosa doença intestinal.

☐ *A primeira viagem missionária; o Concílio de Jerusalém (12.25—15.35)*

Agora que a estratégia para alcançar e ensinar os gentios foi validada pelo ministério de Pedro a Cornélio, a igreja está pronta para enviar a primeira missão oficial de pregação aos gentios.

Sob a direção do Espírito, a igreja de Antioquia comissiona Paulo e Barnabé para a primeira viagem missionária. A princípio, João Marcos os acompanha. Eles vão para Pafos, em Chipre, e depois para a região da Galácia (sul da Turquia), compartilhando as boas-novas em Antioquia da Pisídia, Icônio, Listra e Derbe. Na viagem de volta, visitam as mesmas cidades, designam presbíteros e exortam os novos crentes a permanecerem fortes no Senhor. De volta a Antioquia, relatam como Deus abriu a porta para o ministério aos gentios.

Um grande número de gentios está entrando na igreja; um grupo de tradicionalistas judeus insiste em exigir que eles observem a Lei mosaica, particularmente a exigência da circuncisão. Paulo e Barnabé, furiosos com o que consideram uma distorção no modo de uma pessoa ser salva, vão a Jerusalém e se encontram com o que ficou conhecido como o Concílio de Jerusalém. Os crentes ali reunidos discutem a questão e determinam que os gentios são salvos pela graça e não devem ser obrigados a se submeter à Lei. O Concílio envia uma carta às igrejas gentílicas, informando-as dessa decisão.

☐ *A segunda e a terceira viagem missionárias (15.36—21.17)*

Paulo e Barnabé decidem visitar as igrejas que haviam fundado em sua primeira viagem.

Como João Marcos havia abandonado a equipe, Paulo não quer que ele os acompanhe. Barnabé discorda; depois de uma discussão amarga, os dois homens decidem seguir caminhos diferentes.

Paulo organiza uma nova equipe que inclui Silas, Timóteo e Lucas. Eles visitam as igrejas na Galácia e depois tentam ir para a Ásia, mas são impedidos pelo Espírito Santo.

Eles seguem, então, para o norte, para Trôade, uma cidade portuária no mar Egeu e, por causa de uma visão, atravessam da Ásia para a Europa. Apesar da forte oposição, eles fazem convertidos em Filipos, Tessalônica, Bereia, Atenas e Corinto. Paulo e Silas são espancados e presos em Filipos, ameaçados por uma multidão em Tessalônica, ensinam as Escrituras em Bereia e, em Atenas, Paulo enfrenta o preconceito dos filósofos epicuristas e estoicos. O apóstolo fica um ano e meio em Corinto, onde um grupo de judeus tenta convencer o governador de que ele violou a lei romana. Depois disso, ele para em Éfeso e Jerusalém antes de chegar em Antioquia.

Em sua terceira viagem missionária, Paulo torna a visitar as igrejas da Galácia e depois segue para Éfeso. Antes de chegar, encontra Apolo, um comunicador eficaz e dinâmico, ensinando sobre o caminho do Senhor a partir do Antigo Testamento. Os amigos de Paulo, Priscila e Áquila, ensinam Apolo mais corretamente sobre a fé cristã e o incentivam a ir para a Acaia.

Ao chegar a Éfeso, Paulo batiza um grupo de pessoas que professam ser discípulos de João Batista e lhes concede o dom do Espírito Santo.

Ele ministra em Éfeso por três anos, curando os doentes e expulsando demônios. Enquanto permanece ali, decide ir a Jerusalém e depois a Roma.

A pregação de Paulo ameaça a venda de imagens de Ártemis (ou Diana). Por isso, Demétrio, líder da corporação de ourives, inicia uma revolta. O prefeito da cidade restabelece a ordem e adverte os manifestantes que eles estão violando a lei romana.

Tanto em Tiro quanto em Cesareia, os crentes alertam Paulo sobre o perigo que ele correria se fosse a Jerusalém. Paulo está convencido de que sua viagem é da vontade de Deus, e não se deixa dissuadir.

No caminho para Jerusalém, Paulo se reúne com os líderes da igreja em Mileto e os exorta a pastorear fielmente o rebanho de Deus.

☐ ***Prisão e testemunho de Paulo (21.18—26.32)***

Ao chegar a Jerusalém, Paulo apresenta à igreja um relatório de seu ministério aos gentios. Ele é injustamente acusado de introduzir gentios nas áreas restritas do Templo e, quando a mentira se espalha por Jerusalém, os judeus se revoltam. Paulo é preso pelos romanos, que pensam que ele está tentando incitar uma rebelião.

Sendo-lhe dada a chance de se defender diante de seus compatriotas, o discurso de Paulo apenas inflama os ânimos. Quando o comandante ameaça açoitar Paulo, o apóstolo diz que é cidadão romano, o que muda tudo. Os romanos agora são obrigados a protegê-lo.

Para descobrir por que os judeus querem Paulo morto, o comandante o leva à suprema corte judaica (o Sinédrio). Paulo explica como se tornou cristão, mas desencadeia a violência quando proclama sua crença na ressurreição. Os romanos precisam recorrer ao uso da força para resgatá-lo e, em seguida, para protegê-lo de um plano de assassinato, transferem-no para Cesareia, um porto mediterrâneo artificial assim chamado em homenagem a César, onde o governo romano havia instalado a capital da província da Judeia.

Ananias (o sumo sacerdote judeu) e outros anciãos vão a Cesareia e apresentam sua queixa contra Paulo a Félix, o governador romano. Embora Paulo negue as acusações e afirme que o problema está em sua fé em Deus por meio de Jesus, Félix se recusa a dar um veredito e mantém Paulo sob custódia por dois anos.

Finalmente, César chama Félix de volta a Roma e Festo o substitui como governador da Judeia. Quando Festo decide mandar Paulo de volta a Jerusalém para apaziguar a liderança judaica, Paulo usa sua cidadania romana para apelar por uma audiência com César. (O Senhor lhe havia revelado que um dia testemunharia em Roma [23.11]).

Antes de Paulo ser enviado através do grande mar, ele dá seu testemunho não apenas a Festo, mas também a Herodes Agripa II e sua irmã, Berenice. Todos concordam que ele não fez nada de errado;

o rei até diz ao governador: "Este homem bem poderia ser posto em liberdade, se não tivesse apelado para César" (26.32).

☐ ***Paulo a caminho de Roma; Paulo em Roma (27.1—28.30)***

Lucas dá os detalhes da viagem de Paulo — e dele — até a Itália. Aristarco, um crente da Macedônia, os acompanha.

Com o inverno se aproximando (novembro/dezembro), Paulo aconselha o capitão a invernar em um porto seguro. Ele se recusa, e o navio é violentamente atingido. No entanto, como Paulo havia garantido à tripulação desde o início, quando o navio naufraga nas costas de Malta, todos chegam à praia em segurança.

Durante sua estada de três meses, Paulo cura os doentes na ilha.

Quando o grupo completa a viagem, Paulo não fica confinado a uma masmorra em Roma, mas recebe permissão de ficar em uma casa particular, sob guarda. Em duas ocasiões, ele tenta convencer os judeus de que Jesus é o Cristo. Alguns são persuadidos, mas a maioria não crê.

Atos termina de forma abrupta, mas Lucas alcançou seu objetivo: contar a história do nascimento da igreja e de seu crescimento de Jerusalém a Roma. O livro termina com Paulo em Roma proclamando as boas-novas do reino de Deus.

MENSAGEM

Atos conta como o reino de Deus avançou pelo poder do Espírito Santo. Antes de retornar ao céu, Jesus prometeu a seus seguidores esse dom; quando recebessem o Espírito Santo, deveriam testemunhar "em Jerusalém, em toda a Judeia e Samaria, e até os confins da terra" (1.8). Então, eles proclamaram o evangelho a judeus, samaritanos e gentios. No espaço de três décadas, a fé já havia se espalhado de Jerusalém até Roma e em praticamente todos os lugares. Nada disso foi realizado por esforço humano; a igreja é construída pelo poder do Espírito de Deus. Sua missão continua sendo a mesma hoje; o zelo e a coragem dos primeiros crentes são um exemplo para os cristãos em toda parte.

ROMANOS

CONTEXTO

Paulo escreveu essa carta para os cristãos de Roma quando estava em Corinto, a caminho de Jerusalém (c. 57 d.C.).

Seu objetivo imediato era informar a igreja de que ele planejava visitá-la (15.24,28,29). Ele tinha ouvido falar da fé daquela igreja e orava por ela (1.9,10); esperava poder ir a Roma depois de visitar Jerusalém (cf. At 19.21).

Paulo tinha um motivo prático para a ênfase dessa carta na doutrina. A igreja romana era predominantemente gentílica, mas havia uma tensão entre os judeus e os gentios sobre o plano de salvação de Deus e sobre questões de estilo de vida. Ele enfatiza que os dois lados precisam desesperadamente da justiça divina. Deus tem um plano de salvação: todos são salvos pela fé na morte sacrificial de Cristo, estão unidos a ele em sua morte e ressurreição e têm o Espírito Santo de Deus habitando em seu interior. Ninguém deve se vangloriar, pois a salvação é inteiramente uma obra da graça de Deus, que finalmente glorificará todos aqueles que salvou (justificou).

RESUMO

□ *A necessidade da justiça de Deus: Todos são culpados (1.1—3.20)*

Paulo se refere a si mesmo como escravo (servo) de Cristo Jesus e apóstolo a todas as nações. Ele assegura aos santos de Roma que Deus os ama e em seguida os cumprimenta com graça e paz. Embora tenha tentado visitá-los, foi impedido por circunstâncias que não explica; ele está ansioso para pregar o evangelho em Roma.

O tema da carta é a justiça de Deus — a ação divina de declarar justos (justificados) aqueles que depositam sua fé em Jesus. Paulo não tem vergonha do evangelho — o poder de Deus traz a salvação a todo aquele que crê.

Paulo primeiro explica por que os gentios precisam da justiça de Deus. A ira divina está sendo derramada sobre a humanidade porque os seres humanos rejeitaram a verdade sobre Deus que ele revelou claramente por meio de sua criação; eles escolheram servir a ídolos mortos. Eles o rejeitaram, e Deus permitiu que se tornassem vítimas de suas paixões degradantes.

Em seguida, no capítulo 2, Paulo explica por que os judeus precisam da justiça de Deus. Achando-se mais justos que as outras pessoas, eles as condenaram, mas cometem os mesmos pecados; são tão culpados quanto aqueles que julgaram. Deus é justo; seu julgamento não é manchado pelo favoritismo. A missão do povo escolhido por Deus era levar luz aos gentios; porém, por causa da hipocrisia deles, os gentios desprezavam aquele que consideravam o Deus dos judeus. Ainda que tenham um relacionamento privilegiado com Deus e sejam marcados como seu povo pela circuncisão, os judeus violam as leis de Deus. A verdadeira "circuncisão" não é a da carne, mas a do coração.

Com citações do Antigo Testamento, Paulo conclui que o mundo inteiro está sob condenação. Nenhuma pessoa é capaz de se salvar.

☐ *A provisão da justiça de Deus: Fé (3.21—5.21)*

Do ponto de vista humano, a situação é desesperadora. Mas o Deus perfeitamente justo é também um Deus de graça abundante. Ele justifica gratuitamente (declara sem culpa) todos aqueles que depositam sua fé em Jesus Cristo, que é a propiciação (sacrifício expiatório) por todos os pecados. A salvação é um presente da graça de Deus; *ninguém* jamais salvou ou salvará a si mesmo.

No capítulo 4, Paulo refuta o equívoco judaico de pensar que Abraão foi salvo porque cumpriu a Lei. Ao contrário, como Moisés escreveu: "... Abrão creu no SENHOR, e ele [Deus] creditou-lhe isso como justiça" (Gn 15.6). Davi, o maior rei de Israel, também testificou que Deus perdoa o pecado sem contar as obras da lei. Como todos são salvos pela fé, Abraão é o pai espiritual de todos os que creem — tanto judeus quanto gentios.

No capítulo 5, Paulo explica por que todos — mesmo aqueles que viveram antes que a lei fosse revelada a Moisés — são pecadores. Toda a humanidade é solidária com Adão: ele pecou e morreu, e todos pecam e morrem, o que mostra que todos descendem de Adão e herdaram sua natureza pecaminosa. Mas essa é apenas a primeira parte do argumento. Embora o pecado de um único homem tenha produzido a maldição pela qual todos herdam o pecado inato, outro "único homem", Jesus Cristo, triunfou sobre o pecado e a morte. Sua morte sacrificial na cruz pagou a justa penalidade por nossos pecados, e sua ressurreição da sepultura venceu a morte para criar o caminho pelo qual, pela fé depositada nele, vamos *viver* para sempre e sem pecado. Deus concede o dom gratuito da justiça e da vida a todos que confiam em Jesus como seu Salvador.

☐ *A prática da justiça de Deus: pelo poder do seu Espírito que habita em nós (6.1—8.39)*

A partir do capítulo 6, Paulo responde à pergunta desconcertante de por que pessoas que foram justificadas (declaradas quites/em relacionamento com Deus) continuam lutando contra o pecado. Ele também explica como os crentes têm a capacidade de superar o poder do pecado.

A chave é a união do crente com Cristo. Usando o batismo para exemplificar esse fato, Paulo mostra que os crentes têm um novo *status*: unidos a Cristo em sua morte, sepultamento e ressurreição, estamos mortos para o pecado e não somos mais escravos da injustiça. Nós *temos* nova vida em Cristo; libertos das cadeias do poder do pecado, somos livres para servir a Deus.

Paulo abre o capítulo 7 com uma ilustração do casamento para explicar como a fé em Jesus liberta os crentes das exigências da lei. Assim como uma mulher é livre para se casar novamente, se o marido morrer, os crentes unidos a Cristo morreram para a lei e, portanto, são livres para servir a Deus pelo poder do Espírito (não por seus próprios esforços). Paulo dá testemunho de sua frustração pessoal com o resultado de suas tentativas de cumprir a lei. Em si, a lei, era boa, porque revelava o pecado, mas não tinha poder para ajudá-lo a vencer o desejo de pecar. Paulo queria fazer o que é certo; em vez disso, ele inevitavelmente fazia o que era errado. Ele pergunta: "Será que não existe poder que possa me livrar dos meus desejos pecaminosos?".

Ele responde à sua própria pergunta no capítulo 8: os que estão em Cristo não são mais condenados! Não é o esforço de se empenhar mais para *ser* bom e *fazer* o bem. Os crentes têm o Espírito, que dá vida nova e é infinitamente mais poderoso que a natureza pecaminosa. Quando nos submetemos ao Espírito de Deus em nossa fraqueza, ele se torna nossa força. Quanto aos benefícios de viver no Espírito, ele nos adota na família de Deus, assegurando-nos que Deus completará sua obra de salvação, nos ajuda a orar e nos lembra que *nada* pode *jamais* nos separar de seu amor.

□ *O problema da incredulidade de Israel (9.1—11.36)*

Nos capítulos de 9 a 11, Paulo confessa sua angústia por seu próprio povo, os judeus. A igreja, que cresce rapidamente, tem mais gentios do que judeus respondendo ao evangelho. Isso o desanima. Como Deus pode cumprir suas promessas por meio do povo escolhido, se tantos rejeitam Jesus?

Deus escolheu soberanamente aqueles a quem salvará. Suas escolhas não são arbitrárias, mas são um mistério que não podemos compreender. No plano de salvação de Deus, ele escolhe os que respondem com fé ao evangelho e condena os que rejeitam a Cristo.

Embora muitos se recusem a crer, Deus não abandonará os judeus. Judeus *e* gentios são salvos quando confessam com a boca e creem de coração que Jesus é o Senhor.

A atual incredulidade de Israel permitiu que Deus salvasse gentios. Usando a imagem de uma oliveira, Paulo diz que "os ramos naturais" foram cortados e os ramos não naturais foram enxertados (judeus, gentios; 11.17-21). Contudo, no futuro, os ramos naturais serão novamente enxertados na árvore. Os judeus verão que os gentios desfrutam das bênçãos de Deus, e muitos deles crerão em Cristo como Salvador.

O capítulo 11 termina com uma doxologia de louvor à sabedoria e ao conhecimento infinitos de Deus demonstrados em seu plano de salvação.

□ ***A aplicação da justiça de Deus (12.1—16.27)***

A seção final fala das implicações práticas do evangelho. Deus espera que aqueles que ele justificou vivam de maneira diferente dos outros. As boas-novas não têm apenas o poder de salvar, mas também o poder de transformar (12.1,2).

Por causa de tudo o que Deus fez pelos crentes, seu desejo é que eles, em adoração, se ofereçam a ele como sacrifícios vivos. Isso significa, por exemplo, usar nosso talento para servir uns aos outros em amor (cap. 12), submeter-nos às autoridades governamentais, reconhecer que Deus as estabeleceu para manter a lei e a ordem (13) e ajudar os crentes mais fracos a amadurecer na sua fé (14).

Paulo está confiante de que os cristãos romanos seguirão suas instruções. Ele espera não apenas visitá-los e pregar o evangelho em Roma, mas também possivelmente seguir para a Espanha. Pede que continuem orando por ele e os recomenda à graça de Deus.

Concluindo, Paulo envia saudações a 27 crentes (dez mulheres e dezessete homens) e oferece uma doxologia em louvor de Deus Pai e Cristo Jesus.

MENSAGEM

Romanos é o mais teológico de todos os livros do Novo Testamento. Ao escrever para uma igreja que ainda não havia visitado, Paulo se concentra na importância de saber por que e como Deus salva pessoas que são antagônicas a ele e que, sem ele, estão perdidas. Mostrando que não há esperança a não ser em Deus, ele enfatiza o que podemos nos tornar por causa — e somente por causa — do poder da assombrosa graça de Deus.

1CORÍNTIOS

CONTEXTO

Paulo escreveu 1Coríntios em Éfeso (16.8), por volta de 55 d.C., durante sua terceira viagem missionária.

Ele escreveu para corrigir problemas de que havia tomado conhecimento (1.11) e para responder a perguntas dos crentes de Corinto (7.1). Abordou uma variedade de questões, incluindo facções, ações judiciais, imoralidade, abuso na ceia do Senhor, dons espirituais e ressurreição.

Com uma população de aproximadamente setecentos mil habitantes, Corinto era a maior cidade da Grécia, capital da região grega da Acaia. Era uma cidade portuária, situada na estreita faixa de terra que une a Grécia continental à ilha mais ao sul, o Peloponeso. Em vez de arriscar naufrágios nas águas imprevisíveis e muitas vezes letais do Mediterrâneo, muitos pequenos navios eram transportados através do istmo em Corinto, e suas cargas eram, então, transferidas para navios que iam para o leste ou o oeste.

Essa localização fez de Corinto um importante centro comercial; a cidade também era uma notória espécie de santuário municipal do vício e da imoralidade. A cidade era famosa por seu templo dedicado à deusa grega Afrodite, localizado em uma montanha, onde milhares de sacerdotisas serviam como "prostitutas cultuais".

Um provérbio da época advertia: "A viagem a Corinto não é para qualquer homem", e até mesmo os incrédulos sabiam do perigo moral de ir àquele tipo de lugar.

O Senhor garantiu a Paulo que nem mesmo uma cidade como aquela era imune ao evangelho (At 17.10). Paulo ministrou lá por um ano e meio e testemunhou o triunfo do amor e da graça de Deus. No entanto, ainda influenciados pelo paganismo predominante, muitos cristãos coríntios continuavam a viver como os incrédulos.

RESUMO

Paulo se identifica como o autor da carta, um apóstolo, e saúda a igreja junto com Sóstenes, que já havia sido o chefe da sinagoga de Corinto (At 18.17) e agora é cristão e colaborador de Paulo.

Ele se dirige aos coríntios como santos e lembra-lhes que Deus os chamou e que o Senhor Jesus os santificou. Ele é grato pelo modo que Deus os enriqueceu espiritualmente e assegura que Deus os apresentará inculpáveis quando Cristo voltar.

☐ *Problemas relatados por membros da família de Cloé (1.10—6.20)*

DIVISÕES NA IGREJA (1.10—4.21)

A igreja de Corinto se dividiu em quatro facções: pessoas diziam ser seguidoras de Paulo, Apolo, Cefas (Pedro) ou Cristo.

Paulo faz um apelo para que haja unidade e explica a relação entre o mensageiro e a mensagem do evangelho. Ele contrasta a sabedoria humana com a mensagem da cruz — tanto os gregos quanto os judeus a ridicularizam como loucura, mas a verdade é que ela é o poder e a sabedoria de Deus para a salvação. As pessoas não são salvas pela habilidade de um orador, mas pelo poder da mensagem.

Não foi no poder da sabedoria humana que Paulo chegou em Corinto na primeira vez, mas, sim, na sabedoria e no poder do Espírito. Somente aqueles que têm o Espírito de Deus podem compreender seu maravilhoso plano de salvação; para os que não têm o Espírito, a mensagem é tolice.

Ao afirmarem que são seguidores "de Paulo" ou "de Apolo", os coríntios estão demonstrando sua imaturidade espiritual. Paulo e Apolo são simplesmente servos de Deus, cada um com uma tarefa designada por Deus. Paulo alerta sobre o perigo de tentar edificar a igreja sobre qualquer fundamento que não seja Jesus Cristo e diz que eles devem ser sábios do ponto de vista de Deus, não dos homens.

O apóstolo adverte contra julgar as motivações alheias; somente o Senhor conhece o coração de uma pessoa.

A dedicação de Paulo ao Senhor resultou em dificuldades e perseguição — o mundo o trata como lixo. Os coríntios, ao contrário, pensavam erroneamente que já estavam reinando com Cristo. Paulo é o seu pai espiritual e, quando voltar a Corinto, confrontará os que o ridicularizaram.

Incesto (5.1-13)

Paulo fica indignado ao saber que um membro da igreja está tendo relações sexuais com a "a mulher de seu pai" (sua madrasta) (v. 1). Ele diz que nem mesmo os que não são cristãos toleram esse tipo de imoralidade. Pior ainda, quando deveriam sentir vergonha, sentem orgulho.

Exercendo sua autoridade apostólica, Paulo ordena que eles removam aquele homem da igreja para que ele fique sob o controle de Satanás, e, com sorte, se arrependa. Eles devem disciplinar os crentes que escolhem pecar. Paulo os repreende por tolerarem o pecado e observa que já os havia advertido sobre a associação com pessoas iníquas, a quem eles devem evitar.

Processos judiciais (6.1-11)

Na sociedade romana, os processos judiciais eram extremamente comuns, mas os crentes estavam arruinando o testemunho da igreja aos olhos do mundo ao abrirem processos uns contra os outros em tribunais civis. As instruções de Paulo são duas. Primeiro, os coríntios são capazes de resolver assuntos triviais, pois um dia julgarão assuntos de importância eterna. Segundo, eles devem resolver suas diferenças dentro da igreja, e não nos tribunais, mesmo que isso signifique sofrer perda.

Prostituição (6.12-20)

Alguns homens da igreja estavam praticando sexo com prostitutas cultuais (do templo de Afrodite). Eles veem isso como a simples satisfação dos desejos sexuais naturais do corpo, o que para eles é o mesmo que comer quando estão com fome.

Paulo esclarece que a liberdade cristã não permite que os crentes façam o que quiserem e quando quiserem. Os cristãos se uniram a Cristo no espírito e no corpo; portanto, diz ele, "Fujam da imoralidade" (v. 18). O corpo deles agora é o templo do Espírito de Deus, que habita neles; esse templo deve ser dedicado à honra de Deus.

□ *Respondendo a perguntas dos coríntios (7.1—15.58)*

A partir do capítulo 7, Paulo passa a responder a perguntas sobre preocupações pessoais e práticas e assuntos relacionados ao culto público.

Casamento e celibato (7.1-40)

No ambiente de imoralidade sexual desenfreada de Corinto, Paulo incentiva homens e mulheres a se casarem, embora o celibato seja certamente uma opção. A intimidade sexual é um benefício e uma responsabilidade que dizem respeito aos dois membros do casal e estão reservados para o matrimônio.

Em um relacionamento matrimonial em que um cônjuge é crente e o outro não, o crente não deve deixar seu cônjuge. A influência de um cônjuge cristão pode convencer o incrédulo a crer em Cristo.

Paulo lista algumas vantagens do celibato, mas aconselha o casamento ou o novo casamento (se o cônjuge morre) para evitar a imoralidade sexual.

Carne sacrificada a ídolos (8.1—11.1)

Paulo dá conselhos sobre um problema exclusivo da igreja de Corinto. A carne que foi sacrificada no ritual do templo pagão é depois vendida nos mercados públicos. Para alguns, comer essa carne desperta lembranças e paixões de sua vida anterior; para outros, não significa nada — é apenas carne. Os coríntios querem saber se os crentes podem comer carne que foi sacrificada aos ídolos, especialmente se isso ofender os de "consciência fraca" (8.10-12).

Paulo diz que, embora alguns crentes saibam que comer carne oferecida a ídolos não constitui adoração a um ídolo, é melhor evitar comê-la, se isso afetar negativamente o bem-estar espiritual dos que têm uma consciência mais fraca. Tudo deve ser feito por amor, não por conhecimento superior.

Para ilustrar a importância da autodisciplina, Paulo se coloca como exemplo de alguém que desistiu de seus direitos para servir aos outros. De certo modo, ele se tornou escravo de todos, para ganhar alguns para Cristo. Como um atleta, ele se disciplina para ganhar uma coroa eterna.

No capítulo 10, Paulo lembra os coríntios de que Deus castigou os israelitas porque eles adoraram ídolos e se entregaram à imoralidade sexual depois de terem sido libertos do Egito.

Paulo conclui suas instruções sobre comer carne oferecida a ídolos com uma palavra de encorajamento. Ele exorta os coríntios a permanecerem firmes, sabendo que Deus não permitirá que ninguém seja tentado além do que pode resistir. Eles podem comer com prazer qualquer alimento que desejarem, desde que o façam para a glória de Deus, e não para ofender alguém intencionalmente.

Culto público: cobertura da cabeça; a ceia do Senhor (11.2-34)

Paulo aborda duas questões relacionadas ao culto público. Algumas mulheres abandonaram o que para elas é a prática cultural de cobrir a cabeça no culto público. Paulo diz que elas devem cobrir a cabeça quando oram ou profetizam.

Quando a igreja se reúne para celebrar a ceia do Senhor, alguns estão discriminando os pobres, comendo e bebendo excessivamente, e até se embriagando. Essa observância é uma tradição legada pelo Senhor Jesus Cristo com o propósito de lembrar sua morte sacrificial. Deus julgará qualquer um que participar sem primeiro examinar seu relacionamento com o Senhor e com outros crentes.

Dons espirituais (12.1—14.40)

Em resposta à confusão dos coríntios sobre os dons espirituais, Paulo usa a analogia das várias partes do corpo humano. O Espírito deu dons a todos os crentes, e todos são essenciais para o ministério da igreja.

No que é conhecido como o "capítulo do amor" (13), Paulo enfatiza que, sem um espírito de amor, todos os dons são inúteis. A virtude do amor deve ser nosso maior alvo.

Embora os coríntios pensassem que o dom de línguas era a principal evidência da presença do Espírito, Paulo os incentiva a procurar dons que beneficiem toda a igreja. Cada aspecto do culto público deve ter o objetivo de fortalecer espiritualmente a igreja e, portanto, ser conduzido de forma organizada.

A ressurreição do corpo (15.1-58)

Como alguns coríntios não estão aceitando o fato de que haverá uma futura ressurreição corpórea, Paulo começa o capítulo 15 com um resumo conciso do evangelho. Ele enfatiza que pessoas viram o Senhor ressuscitado (incluindo mais de quinhentas outras testemunhas). Garante que todos os apóstolos proclamam o mesmo evangelho, do qual a ressurreição é parte fundamental.

Se Cristo *não* tivesse ressuscitado dentre os mortos de forma corpórea, seria uma perda de tempo pregar a existência de uma ressurreição futura. E, se fosse esse o caso, os apóstolos não teriam motivos para se esforçar tanto e colocar a vida constantemente em risco.

Paulo explica a natureza do corpo da ressurreição com analogias extraídas da natureza e diz que os crentes precisarão desse corpo para herdar o reino de Deus. Ele fecha com um refrão de louvor e exorta os coríntios a serem fiéis ao Senhor.

Uma oferta para a igreja de Jerusalém e instruções finais (16.1-24)

A igreja de Corinto também prometeu ajudar a igreja de Jerusalém, mas seus membros não sabem ao certo como cumprir seu compromisso. Paulo lhes diz para seguirem as mesmas instruções que ele deu a todas as igrejas. Devem reservar uma quantia em dinheiro, de acordo com sua renda, no primeiro dia de cada semana, guardando-a para a oferta coletiva que será enviada a Jerusalém.

Ele encerra lembrando que tem planos de visitá-los e agradecer por seu apoio. Envia saudações das igrejas da Ásia e escreve de próprio punho uma admoestação final e a bênção.

MENSAGEM

Como o capítulo 13 enfatiza, o amor é central no cristianismo. Não se trata aqui de um sentimento ou emoção inconstante, mas de um amor de doação e autossacrifício, cuja origem é divina. O amor é paciente e gentil. O amor "sempre protege, sempre confia, sempre espera, sempre persevera". *Esse* amor tornará mais fácil ter uma vida que vale a pena ser vivida.

A ressurreição é fundamental para a fé cristã. Se Jesus Cristo não ressuscitou dos mortos, então não temos esperança e somos mais miseráveis do que todos os outros. Mas, porque ele venceu a morte, a vida após a morte não é fantasia. Existe vida além da sepultura e, embora seja difícil de entender, nosso atual corpo corruptível será milagrosamente transformado em um corpo novo e glorioso que nunca perecerá. Consequentemente, nada que façamos pelo Senhor é perda de tempo ou de esforço.

2CORÍNTIOS

CONTEXTO

Paulo ministrou um ano e meio em Corinto em sua segunda jornada. O que aconteceu depois de sua partida colocava em risco o futuro da igreja e minava seu chamado apostólico.

Embora Paulo tivesse escrito 1Coríntios para corrigir problemas e responder a perguntas, uma minoria de legalistas judeus ainda se recusava a aceitar sua autoridade apostólica. Alegavam que ele era inconstante, desonesto e incompetente. Aqui, na mais pessoal de suas epístolas, Paulo escreve para defender a si mesmo e ao seu chamado. Ele pede à maioria que abra o coração para recebê-lo, assim como Paulo fez com eles (7.2), e depois denuncia seus oponentes como "falsos apóstolos" (11.1-15). Ele explica que suas provações e sofrimento não o desqualificam como apóstolo, mas, ao contrário, revelam o poder de Cristo na fraqueza humana (12.9,10).

Tito e outro colaborador levaram a carta para a igreja de Corinto (8.16-24).

RESUMO

□ ***O Deus de toda a consolação; o ministério da reconciliação (1.1—7.16)***

Paulo se identifica como apóstolo e saúda a igreja; depois, louva a Deus, "o Pai das misericórdias" (1.3). Embora tenha enfrentado dificuldades incríveis no ministério, Paulo está, de fato, agradecido. Por meio do sofrimento, ele viu ainda mais a misericórdia e a bondade divinas e, tendo aprendido a confiar em Deus, é capaz de confortar os coríntios.

Na província da Ásia (agora Turquia ocidental), Paulo enfrentou perigo mortal, mas, em resposta às orações dos coríntios, Deus o livrou.

Paulo explica sua mudança de planos (1.12—2.13)

Respondendo à acusação de ser volúvel, Paulo explica por que não voltou a Corinto. Ele garante que sua palavra é tão confiável quanto as promessas do Senhor, que foram cumpridas em Cristo. Ele não tinha retornado como havia prometido porque queria evitar repreendê-los severamente, dando-lhes mais tempo para responder à repreensão anterior.

Como sua visita anterior havia sido dolorosa, Paulo mudou novamente seus planos e escreveu aos coríntios uma carta emotiva (não incluída no cânon bíblico), expressando seu amor e exortando-os a perdoar um agitador que havia insultado a Paulo e a eles.

Ele também teve de ir à província da Macedônia para buscar Timóteo.

O ministério de Paulo sob a nova aliança (2.14—5.21)

Em seguida, Paulo faz uma defesa vigorosa e detalhada de seu ministério apostólico, incluindo cinco razões pelas quais seu ministério (do evangelho) é superior ao de seus acusadores:

É triunfante e vivificante (2.14-17).

Ao contrário da antiga aliança (a lei; morte), a nova aliança traz vida. Ao contrário de Moisés, com um véu cobrindo o rosto, em Cristo o véu é retirado do coração do crente, que vai sendo cada vez mais transformado na gloriosa imagem do Senhor (3.1-17).

Pregar o evangelho em um corpo humano frágil revela o poder de Deus (4.1-18).

Ele sabe que seu corpo humano não durará para sempre, mas também sabe que um dia terá um corpo celestial (5.1-10).

Sua responsabilidade/privilégio é proclamar a mensagem da reconciliação — como a morte de Cristo permite que Deus faça as pazes com pecadores (5.11-21).

O apelo de Paulo pela reconciliação com os coríntios (6.1—7.16)

Paulo roga a seus oponentes que aceitem o maravilhoso dom da salvação de Deus e faz um apelo emocional para que abram o coração e o aceitem como servo de Deus.

É impossível crentes e incrédulos servirem a Cristo juntos. A igreja é o templo sagrado de Deus; seus membros devem se afastar de qualquer coisa que possa contaminá-los.

Em um segundo apelo pela reconciliação, Paulo está confiante de que eles "abrirão o coração" para ele.

Voltando ao relatório das dificuldades que enfrentou na Macedônia, Paulo fica muito animado depois de sua reunião com Tito e o relatório que ele trouxe sobre a igreja. Embora inicialmente tenha sido doloroso para Paulo enviar uma carta dura, ele agora é grato, pois ela produziu "tristeza segundo Deus", levando ao arrependimento. Ele está encantado com a forma de receberem Tito.

□ *Generosidade cristã (8.1—9.15)*

Paulo agora volta sua atenção para a coleta de uma oferta para a igreja de Jerusalém. Quando ele pediu ajuda às igrejas da Macedônia, os coríntios prometeram ajudar, mas, por algum motivo, ainda não haviam materializado suas aparentemente boas intenções.

O que Paulo escreve aqui fornece o ensino mais completo do Novo Testamento sobre ofertas cristãs. Ele exorta os coríntios a cumprir sua promessa sacrificialmente, proporcionalmente e com alegria. Todas as doações devem ser uma resposta ao presente indescritível de Deus — Jesus Cristo.

□ *Paulo defende seu ministério (10.1—12.21)*

Paulo defende apaixonadamente seu ministério apostólico contra falsos mestres que dizem que ele é fraco e ineficaz e não tem o direito de pregar em Corinto. Em contraste com a primeira parte da carta, que foi calorosa e conciliadora, seu tom é severo e desafiador.

Paulo alega que sua autoridade vem diretamente de Cristo — embora possa parecer tímido, ele pode ser tão incisivo pessoalmente quanto é em suas cartas. Seus oponentes se gabam, comparando-se uns aos outros; Paulo julga seu ministério não por um padrão humano, mas somente por sua obediência ao chamado de Deus.

Ele rejeita severamente a acusação de não ter o direito de ministrar lá. Afinal, foi o primeiro a compartilhar as boas-novas em Corinto, e o fato de pregar em outras regiões também deveria eliminar qualquer alegação de que ele estaria invadindo o "território" de outra pessoa.

É tolice se gabar; no entanto, como os coríntios ficaram impressionados com as alegações exageradas dos falsos mestres, ele também se "gloriará" de suas experiências. Então, usando ironia, ele contrasta seu ministério com o deles. De fato, seus oponentes estão pregando outro Jesus. Esses supostos "superapóstolos" não são servos de Deus, mas de Satanás.

Depois de apresentar uma lista incrível das dificuldades que já enfrentou, ele descreve, na terceira pessoa, sua experiência de ser "arrebatado ao terceiro céu" (uma referência judaica à morada de Deus). Então, para mantê-lo humilde, o Senhor o afligiu com "um espinho na carne"; ele pediu três vezes para que Deus o removesse, mas não foi atendido. Em vez disso, o Senhor disse: "Minha graça é suficiente para você" (12.7-9).

Paulo lembra novamente aos coríntios suas credenciais apostólicas e pergunta ironicamente se os ofendeu de alguma maneira. Afirma, ainda, que está muito preocupado com eles e planeja uma terceira visita. Ele garante que não deseja tirar proveito deles, e ressalta que Tito e seu companheiro também não fizeram nenhuma tentativa de explorá-los.

☐ *Última súplica e bênção final (13.1-14)*

Paulo conclui com uma advertência severa de que está voltando pela terceira vez e, se necessário, usará o poder divino para confrontar seus oponentes. Pede que os coríntios se examinem e espera que aceitem sua correção.

Ele encerra com uma palavra de encorajamento e bênção.

MENSAGEM

O sofrimento, de alguma forma, faz parte da fé em Jesus ou do nosso viver para ele. Paulo diz que os problemas que ele e os que estavam com ele enfrentaram na Ásia foram tão graves, que eles acharam que iam morrer (1.8). Mas o sofrimento de Paulo não foi sem propósito. Ao receber a consolação de Deus, ele aprendeu a consolar os outros e a confiar no Senhor (1.3-11).

Por três vezes, Paulo implorou a Deus que removesse seu "espinho na carne", e três vezes Deus disse: "Minha graça é suficiente. O meu poder se aperfeiçoa na fraqueza..." (12.8,9). Com isso, Paulo aprendeu que, em sua fraqueza, o Senhor era forte. Todos nós temos um "espinho na carne" do qual gostaríamos de nos livrar. Nossa fraqueza pode ser nossa força, se nos ajudar a confiar em Jesus. Porque, quando somos fracos, ele é forte.

GÁLATAS

CONTEXTO

Depois que a igreja em Antioquia, na Síria, comissionou Paulo e Barnabé para sua primeira jornada, os missionários navegaram até Chipre e depois para a província romana da Galácia (hoje sul da Turquia). Eles fundaram igrejas em Antioquia da Pisídia, Icônio, Listra e Derbe (At 13.13 – 14.28). Depois, refizeram seu caminho, nomeando líderes e fortalecendo as igrejas, e retornaram a Antioquia para relatar como Deus "abrira a porta da fé aos gentios" (At 14.27). Os membros da igreja ficaram surpresos e animados ao descobrir que os gentios foram salvos pela fé em Cristo (sem se converterem ao judaísmo).

No entanto, alguns judeus — conhecidos como judaizantes — não concordavam que os gentios pudessem ser salvos sem cumprir a Lei de Moisés. Aparentemente, eles foram à Galácia, tentaram desacreditar Paulo como apóstolo e afirmaram que o "evangelho de Paulo" estava errado. Eles ensinaram que, para serem salvos, os gentios deviam se submeter à circuncisão e observar outros requisitos legais.

Paulo ficou furioso; considerou isso uma perversão grosseira das boas-novas. Escreveu então aos novos crentes nas igrejas da Galácia que a salvação é — e sempre foi — baseada *somente* na fé (não na fé mais as obras da lei).

Além disso, quando uma pessoa é salva, sua verdadeira motivação para a vida cristã é o amor, não a observância legal. Como crentes em Jesus, eles receberam o Espírito de Deus, de modo que devem "andar no Espírito" e servir a Cristo no espírito de amor. O que importa, em última análise, é o amor a Deus e de uns pelos outros.

RESUMO

Para refutar os judaizantes que estavam convencendo os crentes gálatas a se submeterem à lei, Paulo defende com veemência a liberdade cristã. Essa defesa pode se dividir em três seções: sua defesa pessoal (1 e 2), a defesa doutrinária (3 e 4) e a defesa prática (5 e 6).

Como os judaizantes questionaram sua credibilidade, ele precede uma típica saudação de graça e paz com uma declaração definitiva sobre seu chamado apostólico.

□ *Pessoal: "o evangelho de Paulo" (1.6—2.21)*

Paulo imediatamente condena os judaizantes por distorcerem a verdade e adverte sobre o terrível julgamento que recairá sobre qualquer pessoa, mesmo um anjo, que proclame "um evangelho diferente" (1.6).

Em uma tríplice defesa do evangelho que pregou aos gálatas, ele diz, em primeiro lugar, que sua mensagem não foi recebida de nenhum homem, mas foi revelada diretamente por Jesus Cristo. Ele não se autonomeou; Deus o chamou e o nomeou para pregar as boas-novas aos gentios.

Em segundo lugar, anos após seu encontro com Jesus, quando estava iniciando seu ministério, ele se encontrou com outros apóstolos, incluindo Pedro, em Jerusalém, e eles aprovaram seu ministério aos gentios. Ele até repreendeu Pedro por um lapso prático em sua compreensão da salvação pela graça por meio da fé.

Em terceiro lugar, seria absurdo substituir a fé em Cristo pelo antigo sistema jurídico. Ele havia recebido nova vida pela fé no Filho de Deus, não por cumprir a lei; Cristo agora vivia nele.

□ *Doutrinária: Salvação e fé (3.1—4.31)*

Ao voltarem para a lei, os gálatas estavam agindo como se tivessem sido enfeitiçados.

Será que eles não percebem que Abraão foi salvo pela fé e que todos os que põem sua fé em Cristo são descendentes espirituais de Abraão? Deus prometeu fazer de Abraão uma bênção para as nações e manteve essa promessa por meio do "*descendente*" de Abraão (não "descendentes"). Ou seja, a promessa divina se refere a Cristo, não a todos os futuros descendentes de Abraão.

Prevendo que os judaizantes perguntariam qual era o propósito da lei, se Abraão foi realmente salvo pela fé, Paulo explica que Deus deu a lei ao seu povo como um *guardião* (um "tutor" — pessoa responsável por proteger um herdeiro até a maioridade), para servir até a vinda de Cristo. Como os crentes agora estão unidos a Cristo, a lei cumpriu seu propósito e não é mais necessária. Sejam judeus ou gentios, escravos ou livres, homens ou mulheres — *todos* os que pertencem a Cristo são agora verdadeiros filhos de Abraão.

Paulo apresenta duas ilustrações, uma jurídica e outra escriturística. Primeiramente, os gálatas não são mais crianças, escravos da lei, mas atingiram a maioridade e são herdeiros das promessas de Deus em Cristo. Deus lhes deu o Espírito, capacitando-os a chamá-lo de *Pai*. Por que motivo eles quereriam deixar de pertencer à família de Deus para serem novamente escravizados por um sistema incapaz de promover a vida piedosa?

Ele lhes suplica que sigam seu exemplo e desfrutem da liberdade em Jesus. Relembra a alegria que eles demonstraram quando responderam à sua pregação das boas-novas e de como cuidaram dele quando esteve fisicamente doente. Ele também adverte que a pretensa preocupação dos judaizantes com o bem-estar deles é superficial e mal-intencionado.

A segunda ilustração baseia-se em uma compreensão judaica do Antigo Testamento. Abraão teve duas esposas e dois filhos. Agar simboliza o monte Sinai e a escravidão da lei. Sara simboliza Jerusalém e a liberdade. Os judaizantes são filhos de Agar e escravos; já os gálatas são filhos de Sara e livres.

☐ *Prática: Chamados a viver em liberdade (5.1—6.10)*

Paulo responde à acusação dos judaizantes de que o abandono da lei levará a uma desenfreada entrega às paixões pecaminosas.

O argumento de Paulo é que ninguém pode ser justificado diante de Deus pela circuncisão. O que Deus deseja é a verdadeira fé expressa no amor autêntico.

Os crentes são livres, não mais escravizados pelos desejos pecaminosos da vida antiga. Com o Espírito Santo para guiá-los, se seguirem sua orientação, darão frutos agradáveis a Deus.

Paulo encoraja os crentes a ajudarem os que caírem no pecado e lhes diz que tomem cuidado para não cederem à tentação do mesmo pecado. Ele observa o princípio da colheita: "Você colhe o que planta". Portanto, que eles nunca se cansem de fazer o que é certo.

☐ ***Última advertência e bênção (6.11-18)***

Paulo usou um assistente para escrever a maioria de suas cartas, até mesmo a Carta aos Gálatas, mas escreveu de próprio punho as considerações finais para assegurar-lhes que a epístola era realmente dele.

Em contraste com os judaizantes egoístas, a principal preocupação de Paulo é a pregação da cruz e seu poder de transformar gentios e judeus, unidos, no novo povo de Deus.

Com uma bênção, Paulo ora por graça, que é muito mais importante que a lei.

MENSAGEM

A Epístola aos Gálatas fala sobre liberdade. O evangelho não escraviza as pessoas a um rígido conjunto de regras, mas as liberta para que aproveitem a vida ao máximo. Como Paulo diz, eles foram chamados para viver em liberdade. No entanto, não devemos usar nossa liberdade para satisfazer a velha natureza pecaminosa; ao contrário, devemos ser guiados pelo amor e controlados pelo Espírito de Deus que habita em nós.

Paulo insistiu acerca do que havia pregado aos gálatas e que essa era a única "boa-nova". Não há outro evangelho verdadeiro. A salvação é pela graça de Deus por meio da fé em Jesus.

A chave para uma vida cristã frutífera não é seguir rigorosamente um conjunto de regras, mas andar pela fé, permitindo que o Espírito de Jesus opere por meio de nós: "O fruto do Espírito é amor, alegria, paz, paciência, amabilidade, bondade, fidelidade, mansidão e domínio próprio" (5.22,23).

EFÉSIOS

CONTEXTO

Paulo escreveu a carta à igreja de Éfeso quando estava em Roma, por volta de 60 d.C. Ao voltar a Jerusalém após sua terceira viagem missionária, acusaram-no de iniciar um motim e ele foi preso. Quando os romanos descobriram que ele era cidadão romano, o transferiram para Cesareia e depois para Roma, quando Paulo requereu uma audiência com César.

No final de Atos, Paulo está em Roma; aproximadamente dois anos se passariam antes que seu caso fosse julgado. Embora não pudesse viajar, continuou a ensinar e a escrever. Nesse período, ele escreveu Efésios, Colossenses, Filemom e Filipenses. Juntas, elas são conhecidas como Epístolas da Prisão, visto que ele as escreveu em prisão domiciliar.

Antes de crerem em Cristo, os efésios viviam imersos no ocultismo. Na Ásia Menor (hoje Turquia ocidental), Éfeso era o centro religioso e comercial. Peregrinos vinham de todo o Império Romano para adorar no templo de Ártemis (ou Diana), uma das Sete Maravilhas do mundo antigo. Muitos compravam e guardavam imagens da deusa em prata fundida, acreditando que os ídolos lhes trariam boa sorte.

Paulo havia parado brevemente em Éfeso, em sua segunda jornada (At 18.19-21), depois ficou lá por três anos, durante a terceira viagem

(19.1—20.1). Seu ministério em Éfeso foi eficaz, mas controverso. Depois de entregarem a vida a Cristo, os novos crentes queimaram livros sobre magia que valiam uma fortuna. Os ourives dependiam de fazer e vender imagens de Ártemis; a conversão ao cristianismo de um número significativo de pessoas ameaçava seus negócios. Demétrio, o líder dos ourives, organizou um protesto que se tornou um tumulto violento e colocou em risco a vida de Paulo. Ele escapou quando o escrivão da cidade interveio para restaurar a ordem.

Reunindo-se com os líderes da igreja de Éfeso, a caminho de Jerusalém, no final de sua terceira viagem missionária, Paulo fez um discurso de despedida emocionante (20.17-38).

RESUMO

A epístola se divide em duas seções principais. Nos capítulos de 1 a 3, Paulo explica aos efésios que, por causa da união com Cristo, eles são o corpo dele, já governando triunfantes com ele nos "céus". (O termo não se refere ao céu no sentido astronômico, mas ao reino espiritual, onde Cristo reina vitorioso sobre todos os poderes demoníacos.) Nos capítulos de 4 a 6, ele explica como os crentes devem viver ("andar") no mundo.

□ *A posição da igreja nas regiões celestiais (1.1—3.21)*

Paulo se identifica como apóstolo; ele cumprimenta os efésios como "santos" e "fiéis em Cristo Jesus", e lhes estende uma bênção de graça e paz (1.1,2).

Ele louva a Deus Pai por abençoar os crentes nas regiões celestiais. Deus elegeu os crentes para a salvação (redenção) antes da criação do mundo a fim de adotá-los em sua família. Ele fez isso por meio de seu Filho, Jesus, que pelo derramamento de seu sangue libertou os crentes da escravidão do pecado e comprou o perdão de seus pecados. Deus fez tudo isso para seu próprio prazer! O Pai também deu gratuitamente o Espírito Santo aos crentes como garantia de que lhes daria a herança prometida.

Paulo agradece a Deus pela fé dos efésios e ora para que cresçam em sabedoria espiritual, para que conheçam cada vez mais sobre o poder de Deus, que ressuscitou Cristo dos mortos e o assentou nos reinos celestiais com domínio sobre todos os poderes e autoridades. Paulo quer que eles saibam que se uniram ao Cristo vitorioso, que enche tudo em todos os lugares.

Ele descreve o poder da salvação de Deus, contrastando a antiga condição deles com a nova vida em Cristo. Antes, eles eram filhos naturais da ira, mortos em seus pecados, mas Deus os tornou espiritualmente vivos. Eles foram salvos "pela graça, por meio da fé", não por boas obras.

Deus, por sua graça, uniu gentios e judeus no corpo de Cristo (a igreja). Embora os gentios antes fossem forasteiros, estrangeiros que não pertenciam a Israel (povo da aliança de Deus), eles se tornaram membros do corpo único, o corpo de Cristo. Gentios e judeus são uma única nova pessoa, a casa de Deus, um templo sagrado onde Deus habita por meio de seu Espírito.

Deus escolheu Paulo para revelar esse extraordinário "mistério", um plano que havia muito estava escondido, mas que agora foi revelado no corpo de Cristo.

Paulo ora para que os efésios possam conhecer e experimentar todas as dimensões do amor de Cristo, e com louvor proclama glória a Deus por seu poder infinito.

□ *A prática da igreja no mundo (4.1—6.20)*

Agora que os crentes sabem como foram escolhidos e abençoados, Paulo se volta para as implicações pragmáticas. Ele usa o termo *andar* para descrever como os crentes devem viver aqui e agora, e exorta-os a andar em unidade, santidade, amor, luz e sabedoria.

Em vez de causar problemas, os crentes devem estar unidos no Espírito. Existe apenas um corpo, um Senhor, uma fé, um batismo, um Deus "e Pai de todos, que é acima de todos, por meio de todos e em todos" (4.6).

Depois que Cristo desceu (à terra), ele ascendeu (ao céu) e deu dons à igreja. A tarefa dos líderes é ajudar a equipar a igreja para o ministério, ajudando os crentes a amadurecerem em Cristo.

Os efésios devem abandonar seu antigo estilo de vida. Paulo usa a imagem da troca de roupa para mostrar como tirar as práticas pecaminosas da vida antiga e adotar a nova vida de santidade. O pecado — por exemplo, mentira, raiva, roubo e linguagem obscena — entristece o Espírito de Deus. Em vez de ter rancor ou ódio em relação aos outros, os crentes devem ser amorosos.

Todo cristão é um filho de Deus; todo cristão deve imitar a Deus, andando em amor. Cristo é o exemplo supremo de amor sacrificial. Paulo lista exemplos de pecados a serem evitados; o destino do cristão é herdar o reino de Deus!

A conduta dos cristãos deve ser coerente com sua nova vida. Antes eles estavam em trevas, mas agora vivem na luz. Andando na luz, expõem os feitos das trevas.

Eles devem ser sábios, não tolos. Em vez de se embriagarem, os que andam em sabedoria devem ser cheios do Espírito.

Paulo, então, aplica a vida cheia do Espírito a relacionamentos específicos. A esposa deve respeitar o marido; o marido deve amar a esposa. Os filhos devem obedecer aos pais; os pais não devem incitar os filhos à ira, mas educá-los com amor e instruí-los nas coisas do Senhor.

Muitos dos primeiros cristãos eram escravos. Paulo encoraja os que estão debaixo de servidão a honrarem a Cristo com seu trabalho e exige que os donos de escravos sejam justos e bondosos.

Como os efésios vivem em uma cidade dominada pelo ocultismo, Paulo termina as instruções sobre como os crentes devem andar (viver) e passa para o combate das forças espirituais de Satanás.

Paulo exorta os crentes a permanecerem *firmes* contra os planos do Diabo, vestindo "a armadura de Deus" (6.11). Usando as imagens da armadura de um soldado romano, ele lista os instrumentos que o crente deve usar em preparação para as batalhas espirituais da vida.

☐ *Relatório e saudações finais (6.21-24)*

Tíquico, o portador da Carta aos Efésios, apresentará a eles um relatório completo sobre a situação de Paulo, que encerra com uma bênção de paz, amor e graça.

MENSAGEM

Deus nos salvou para "o louvor da sua glória" (1.14). Ninguém pode alcançar a salvação por esforço próprio. Não é uma questão de o nosso bem superar o mal; a vida eterna é um presente de Deus, e isso deve eliminar qualquer arrogância de nossa parte (2.8,9). Nós somos a "obra" de Deus, criados para boas obras; enquanto vivemos nossa nova vida em Cristo, no poder do seu Espírito, trazemos glória a Deus.

A igreja é o corpo de Cristo, não apenas uma realidade na terra, mas em todo o cosmos (1.22,23). Por sermos um corpo, nunca devemos discriminar os que são diferentes. Todos temos o mesmo Pai celestial, o mesmo Salvador e o mesmo Espírito, de modo que devemos humildemente honrar um ao outro e servir juntos em amor (4.1-6).

FILIPENSES

CONTEXTO

Por volta de 62 d.C., a igreja de Filipos enviou uma oferta financeira generosa a Paulo, prisioneiro em Roma. Ele foi preso em Jerusalém após sua terceira viagem missionária e depois foi transferido para a prisão em Cesareia por causa de uma conspiração judaica para assassiná-lo. Enquanto estava lá, ele reivindicou seu direito, como cidadão romano, de solicitar uma audiência com César. Uma vez em Roma, foi posto em prisão domiciliar, e não confinado em uma prisão, até que seu caso foi apresentado ao imperador.

Epafrodito, um servo fiel, entregou a oferta junto com as saudações pessoais dos santos filipenses. Em Roma, ele adoeceu e quase morreu; depois de se recuperar, levou a epístola de Paulo a Filipos em sua jornada de volta. A carta contém a expressão de gratidão de Paulo pela preocupação e apoio da igreja.

Alexandre, o Grande, deu à cidade o nome de Filipos em homenagem a seu pai, Filipe da Macedônia. Em 168 a.C., ela era uma colônia romana; com o tempo, tornou-se a principal cidade da província da Macedônia. Situada na Via Inácia, que ligava leste e oeste, Filipos era um centro mundial de viagens e comércio. Muitos soldados romanos, ao se aposentarem, mudavam-se para lá.

A igreja de Filipos foi fundada na segunda jornada de Paulo. Uma comerciante chamada Lídia, que vendia tecidos de púrpura, havia se tornado crente depois que Paulo falou com um grupo de mulheres no local de oração. Quando ele libertou uma escrava (explorada por seus donos) de possessão demoníaca, ela também se tornou crente. Agora, incapazes de usá-la para ganhar dinheiro com adivinhação, seus proprietários acusaram Paulo e Silas de violarem a lei romana. Eles foram detidos, espancados e encarcerados sem julgamento.

Enquanto Paulo e Silas estavam orando e cantando durante a noite, ocorreu um terremoto que abriu as portas da prisão. Pensando que todos haviam escapado, o carcereiro estava prestes a se matar, mas Paulo gritou para que parasse e garantiu que ninguém havia fugido. Quando o homem lhe perguntou o que precisava fazer para ser salvo, Paulo respondeu: "Creia no Senhor Jesus..." (At 16.31). O carcereiro os levou para sua casa e cuidou de suas feridas; então, Paulo o batizou, juntamente com sua família.

As autoridades da cidade (magistrados) se viram em uma situação delicada ao serem informados de que Paulo e Silas eram cidadãos romanos. Eles retiraram as acusações, esperando que os homens deixassem a cidade sem fazer alarde, mas Paulo insistiu para que eles assumissem a responsabilidade de ter punido a ele e a Silas sem julgamento (At 16.11-40).

A Carta de Paulo aos Filipenses é talvez sua epístola mais alegre. Embora prisioneiro, ele não estava desanimado; disse ele: "Alegrem-se sempre no Senhor. Vou repetir: Alegrem-se!" (Fp 4.4). Sua situação, na verdade, lhe deu oportunidades ímpares de proclamar o evangelho à guarda pessoal do imperador (1.12-20). E a passagem de Filipenses 1.21 pode ser considerada o versículo de sua vida: "Pois para mim o viver é Cristo e o morrer é lucro".

RESUMO

☐ *A alegria de um prisioneiro (1.1-19)*

Paulo abre sua epístola com uma típica saudação paulina, em nome dele e de Timóteo. (Timóteo e Silas estavam com Paulo quando ministraram pela primeira vez em Filipos.) Ao fazer referência a "Deus nosso Pai e o Senhor Jesus Cristo" (1.2), Paulo está implicitamente afirmando sua coigualdade.

Paulo agradece aos filipenses por sua cooperação no evangelho. Eles tinham um lugar especial em seu coração, e ele ora para que continuem crescendo em amor e conhecimento.

Embora prisioneiro em Roma, Paulo não lamenta as circunstâncias, já que aproveitou sua situação para proclamar o evangelho. Ele conseguiu pregar para a guarda imperial (1.13) e para a casa de César (4.22). A primeira era uma unidade de elite encarregada de proteger o imperador e guardar prisioneiros políticos, algo equivalente aos agentes do Serviço Secreto.

Outro resultado positivo de sua prisão é que outros foram encorajados a pregar a Cristo. Embora os motivos de alguns fossem torpes, o apóstolo não os condena; ele é grato porque o evangelho está sendo proclamado.

☐ ***A filosofia de vida de Paulo (1.20-30)***

A abordagem de Paulo é simples: "Viver é Cristo, e morrer é lucro" (1.21). Ele é o mais franco possível a respeito disso: espera voltar para estar com os filipenses, mas também deseja estar com Jesus, o que para ele seria ainda melhor, porque teria mais de Cristo.

Os filipenses são cidadãos romanos, mas Paulo os encoraja a viver como cidadãos do céu, mesmo que isso signifique sofrimento.

☐ ***Sejam humildes como Cristo (2.1-11)***

Aparentemente, alguns dos crentes da igreja de Filipos eram vaidosos e egocêntricos. Paulo exorta todos a serem humildes e terem consideração uns com os outros, seguindo o exemplo da humildade de Cristo.

Ele faz uma descrição profunda da humilhação e exaltação de Jesus na que é considerada uma das principais passagens cristológicas do Novo Testamento. Jesus não se apegou aos seus direitos de divindade, mas os entregou de bom grado a fim de se tornar o Deus-homem singular. Por causa de sua obediência, que o levou ao ponto de sofrer uma morte agonizante na cruz, Deus o exaltou.

Agora, como homem e Deus, Jesus Cristo governa como Senhor soberano sobre o céu e a terra.

□ *Brilhem como luzeiros (2.12-30)*

Paulo exorta os filipenses a não trabalharem *para* sua salvação, mas, sim, a trabalharem *em* sua salvação. Em um mundo envolto nas trevas do pecado, os crentes devem brilhar como estrelas.

Paulo pensa em sua vida como uma libação, um sacrifício em decorrência do sacrifício de Cristo, e considera uma alegria servir a Cristo.

Ele traz à memória dos filipenses Timóteo e Epafrodito, seus colaboradores. Os dois têm servido sacrificialmente e com integridade. Epafrodito quase morreu de uma doença grave, mas se recuperou. Agora Paulo o envia de volta a Filipos e pede que eles o recebam.

□ *O privilégio de conhecer a Cristo (3.1-21)*

Paulo adverte sobre falsos mestres, a quem ele compara com cães ferozes e cruéis. Aparentemente, os falsos mestres estão tentando forçar os cristãos gentios a se submeterem à circuncisão.

Paulo faz uma comparação chocante para explicar aos filipenses o quanto valoriza servir a Cristo. Ele se orgulha de sua herança judaica, mas, em comparação com conhecer e servir a Cristo, ela é como lixo ou esterco. Paulo não despreza sua vida anterior, mas quer enfatizar o valor superior de conhecer a Cristo como Senhor e Salvador. Sua grande obsessão é conhecer a Cristo cada vez mais, até mesmo pela "participação nos seus sofrimentos, tornando-me como ele na sua morte" (v. 10). Seu tesouro é a ressurreição do Cristo ressurreto.

Por isso, ele corre em direção a Cristo assim como um atleta corre para ganhar o prêmio. Ele sabe que sua recompensa não está na terra, mas no céu, onde ele e os filipenses receberão seu prêmio.

Ele os encoraja a seguir seu exemplo e adverte para que não sejam como "os inimigos de Cristo" (v. 18), que só vivem para satisfazer seus desejos egoístas e estão destinados à destruição. Os filipenses são cidadãos do céu, e um dia serão totalmente transformados por Cristo em sua gloriosa imagem.

□ ***Regozijando-se na paz de Deus (4.1-23)***

Paulo ama os filipenses e os exorta a permanecerem firmes no Senhor.

Para pacificar a igreja, ele pede a Síntique e Evódia que acertem suas diferenças e façam as pazes pelo bem da obra do Senhor.

Qual o caminho para a alegria e a paz? Por duas vezes, Paulo diz: "Alegrem-se sempre no Senhor..." (v. 4). Para ter paz em qualquer circunstância, em vez de se preocupar, eles devem orar e se concentrar em pensamentos positivos e irrepreensíveis.

Paulo está agradecido porque os filipenses não o esqueceram. Eles se preocupam com ele, mesmo que não tenham como ajudá-lo.

As dificuldades ensinaram ao apóstolo o segredo do contentamento em qualquer situação: confiar em Cristo, que capacita fielmente os crentes a fazerem a vontade de Deus.

Embora ele não estivesse esperando ajuda, os filipenses enviaram presentes generosos pelas mãos de Epafrodito, que não apenas supriram suas necessidades, mas também foram agradáveis a Deus. Ele lhes assegura que Deus, com sua infinita riqueza, também suprirá todas as necessidades deles.

Paulo conclui com uma saudação em nome de outros cristãos em Roma. A expressão "os que pertencem à casa de César" (v. 22) provavelmente se refere aos cristãos que trabalham para o governo, e não a pessoas imediatamente ligadas à família do imperador.

As últimas palavras do apóstolo expressam o desejo de que a *graça*, o favor imerecido de Deus, esteja com o espírito de cada um deles.

MENSAGEM

A Carta aos Filipenses enfatiza que a vida de um seguidor de Cristo deve transbordar de alegria. Em qualquer circunstância, Paulo havia aprendido a viver "com alegria". Para ele, não havia maior alegria do que conhecer a Cristo e contar aos outros sobre seu Salvador. Mesmo enquanto Paulo aguardava julgamento e talvez a morte nas mãos dos romanos, ele servia a Cristo com ousadia e alegria. Assim como Paulo, podemos ver qualquer circunstância como uma oportunidade de contar aos outros sobre nossa esperança em Cristo.

No capítulo 4, Paulo nos diz como experimentar a paz em situações difíceis. Devemos levar nossas preocupações ao Senhor em oração, concentrar nossos pensamentos naquilo que é bom, depender do poder de Cristo e confiar que "Deus suprirá todas as [nossas] necessidades segundo as riquezas de sua glória em Cristo Jesus" (4.19).

Como Cristo, que voluntariamente renunciou aos seus privilégios de divindade para se sacrificar por nós, Paulo encoraja os crentes a colocar os outros em primeiro lugar (2.1-11). Isso não significa que devamos ser negligentes conosco, e sim que devemos nos preocupar sinceramente com o bem-estar dos outros.

COLOSSENSES

CONTEXTO

Não toque nisso! Não coma aquilo! Guarde o *Sabbath*! Adore os anjos! Eu tive uma visão! Tudo era muito confuso e, como Paulo percebeu, extremamente perigoso. Os falsos mestres em Colossos supostamente conheciam uma maneira diferente de controlar os desejos pecaminosos. Pior ainda, eles alegavam que Jesus não era totalmente Deus e que era incapaz de salvar alguém.

A Epístola aos Colossenses, assim como Efésios, Filipenses e Filemom, é uma das Epístolas da Prisão, que Paulo escreveu enquanto estava em prisão domiciliar em Roma. Ele nunca esteve em Colossos; a igreja de lá foi fundada por Epafras (1.7; 4.12,13), a quem Paulo havia enviado ao vale do Lico quando estava em Éfeso, em sua terceira viagem missionária.

Colossos, situada cerca de 160 quilômetros a leste de Éfeso, recebeu esse nome por causa dos depósitos minerais que se assemelhavam a estátuas. A área era famosa pela produção de uma luxuosa lã preta e, embora já tivesse sido economicamente próspera, havia sido superada pelas cidades vizinhas de Laodiceia e Hierápolis (4.13).

Os colossenses ouviram as "boas-novas" de Epafras, que esteve com Paulo em Éfeso. Ao visitar Paulo em Roma, Epafras contou-lhe sobre a fé, o amor e a esperança dos colossenses (1.4,5), mas apresentou também um relatório perturbador sobre uma heresia que ameaçava a igreja.

A natureza dessa "heresia colossense" só pode ser deduzida do que Paulo escreveu na epístola. Era constituída de "filosofias vazias e enganosas" (2.8), combinando ideias do ascetismo grego, do legalismo judaico e do misticismo oriental. Os falsos mestres afirmavam que Cristo não é totalmente Deus e que a fé nele é insuficiente para a salvação. Paulo respondeu, concentrando-se na supremacia de Cristo em todas as coisas, na plenitude de sua divindade e na total suficiência de sua morte sacrificial (2.9,10).

RESUMO

□ *A supremacia de Cristo (cap. 1)*

Paulo inclui Timóteo em sua saudação aos colossenses e lhes diz como é grato por sua fé em Cristo, amor pelos santos e esperança reservada no céu.

Ele chama a atenção deles para o poder do evangelho, a mensagem da verdade, as "boas-novas" que eles receberam e que agora davam frutos em todo o mundo.

Quem lhes pregou as boas-novas pela primeira vez foi Epafras, a quem Paulo elogia como um servo fiel. Em Roma, ele havia falado a Paulo sobre o amor deles no Espírito.

Paulo nunca cessa de orar pelos colossenses. Acima de tudo, ele os quer cheios do conhecimento da vontade de Deus, para que possam viver de modo digno do Senhor. Paulo garante que, se eles viverem para agradar a Deus, darão frutos, crescerão em conhecimento, serão fortalecidos com o poder glorioso de Deus e serão capazes de dar graças em todas as circunstâncias.

Ele agradece a Deus pela herança deles e lhes recorda que eles foram resgatados do sombrio reino de Satanás e transformados em herdeiros com os santos no reino do Filho de Deus. Pela morte de Cristo na cruz, eles foram libertos e seus pecados, perdoados.

Cristo tem domínio supremo sobre a criação e a igreja. Entre suas características ímpares, ele é: 1) a perfeita imagem visível do Deus invisível; 2) o primogênito (soberano) de toda a criação; 3) o criador e sustentador de todos; 4) a cabeça do corpo, a igreja; 5) o primogênito dos ressuscitados dentre os mortos; 6) a plenitude de Deus; 7) e o reconciliador de todas as coisas, no céu e na terra.

Como reconciliador, Cristo fez as pazes com os colossenses, antes inimigos de Deus, mas agora espiritualmente santos, perfeitos e inculpáveis. Paulo personifica o que deseja para eles. Embora prisioneiro, ele se alegra em seus sofrimentos; suas aflições nada acrescentam aos benefícios da morte de Cristo, mas auxiliam o crescimento da igreja por meio da proclamação do evangelho.

A inclusão de gentios no corpo de Cristo, em pé de igualdade com os judeus, é um mistério inesperado que agora se tornou conhecido.

□ *Liberdade em Cristo (cap. 2)*

O trabalho de amor de Paulo pelos colossenses inclui a igreja de Laodiceia e outras igrejas da região. Ele deseja que o coração de todos os crentes esteja unido em amor e na plena compreensão do mistério de Deus — Cristo.

Paulo condena a heresia colossense, contrastando as alegações dos falsos mestres com os benefícios da fé em Jesus. Ele os alerta para não se deixarem levar pelas palavras persuasivas do falso ensino. Eles devem continuar a crescer nas verdades que lhes foram ensinadas quando creram pela primeira vez.

Ele os adverte para que não se deixem escravizar pela filosofia vazia e enganosa que vem do homem, e não de Cristo, que é totalmente Deus. Os crentes compartilham a bondade de Deus porque estão cheios de Cristo. O erro doutrinário central dos falsos mestres é a negação de que Cristo seja totalmente Deus em um corpo humano. Cristo é totalmente Deus e verdadeiramente homem.

Os falsos mestres dizem que os crentes precisam se submeter à circuncisão. Paulo diz que os crentes já foram espiritualmente circuncidados em Cristo e mortificaram a vida antiga. Ele usa o batismo como uma ilustração de morrer para a vida antiga e ser ressurreto como nova criatura.

Paulo apresenta duas razões que explicam por que é desnecessário cumprir a lei.

Em primeiro lugar, ao morrer na cruz, Cristo aboliu todas as acusações de pecado que pesavam contra os crentes e triunfou sobre os poderes do mal que inspiravam as exigências legalistas.

Em segundo lugar, eles não deveriam permitir que ninguém os julgasse com base em leis alimentares e guarda de dias santos, porque a lei era apenas uma sombra do que estava por vir. Depois que creram em Cristo, que cumpriu a lei, eles não precisam mais seguir o que a sombra determinava.

Não apenas o legalismo está errado, mas também o misticismo. Quem adora anjos e afirma ter "visões" relacionadas a eles perdeu a conexão com Cristo, o Cabeça da igreja.

Proibições como *"Não manuseie, não prove, não toque!"* são invenções do homem. Essas práticas ascéticas não servem de nada quando se trata de refrear desejos pecaminosos.

□ *A vista do céu (cap. 3)*

Depois de refutar as alegações dos falsos mestres, Paulo dá orientações construtivas e práticas sobre como viver a vida cristã.

Os valores fundamentais da vida cristã vêm de cima, onde os crentes já estão espiritualmente exaltados com Cristo, que está sentado à destra do Pai.

Assim como trocamos a roupa suja por roupa limpa, os crentes devem se livrar dos vícios da vida antiga (v. 5-10) e adotar as virtudes da nova vida (v. 12-17). Uma vida transformada é a expectativa de todo cristão, porque todos são iguais em Cristo (v. 11).

Os valores do céu devem orientar os crentes em seus relacionamentos familiares e no trabalho. Paulo não condena diretamente a escravidão, mas ordena que senhores de escravos os tratem como pessoas, não como propriedade, sabendo que eles próprios têm um Senhor no céu.

□ *Amigos (cap. 4)*

Paulo insiste com os colossenses para que orem por si mesmos e por ele e que sejam sábios e amáveis para com os de fora.

Ele menciona Tíquico, um servo amado; Aristarco, que está com Paulo em Roma; e Epafras, que ora por eles constantemente.

Ele os cumprimenta em nome de Lucas, o médico, e Demas, e pede que cumprimentem Ninfa e a igreja que se reúne em sua casa.

Ele recomenda que essa carta seja depois encaminhada para ser lida na igreja irmã em Laodiceia e que os colossenses leiam também a carta que ele escreveu aos laodicenses.

Eles deveriam dizer a Arquipo que cumpra com diligência o ministério em Colossos.

Paulo assina a carta de próprio punho.

MENSAGEM

Em Colossenses, Paulo descreve Cristo como o governante cósmico (1.15-20). Ele é a imagem visível do Deus invisível; como criador e sustentador de tudo o que existe, ele tem supremacia sobre tronos, reinos, governantes e autoridades no reino espiritual. Em Cristo, toda a plenitude de Deus habita em forma corpórea. E ele é o Cabeça da igreja, seu corpo.

Paulo nos lembra o que Deus fez por nós por meio de Cristo. Ele "nos resgatou do domínio das trevas e nos transportou para o reino do seu Filho amado, em quem temos a redenção, isto é, o perdão dos pecados" (1.13,14).

De certa forma, todos nós nascemos como vasos vazios. Muitos tentam encontrar sentido nas filosofias "vazias" do mundo. Paulo nos exorta a encher nossa vida com Cristo, em quem está toda a plenitude de Deus. Fazemos isso confiando nele como nosso Salvador e depois vivendo segundo os valores do céu, abandonando os pecados da vida antiga e adotando as atitudes e hábitos da nova vida.

1TESSALONICENSES

CONTEXTO

Paulo escreveu essa carta em Corinto, durante sua segunda viagem missionária (meados da década de 50 d.C.).

Tessalônica, capital da Macedônia, ficava na Via Inácia, uma rota importante que ligava o leste ao oeste do vasto Império Romano, fazendo da cidade um próspero centro comercial. Depois de ministrar em Filipos, Paulo e seus companheiros pegaram aquela estrada para Tessalônica. Sua pregação ali levou vários judeus e gentios a crerem em Jesus (At 17.4).

Mas ele também enfrentou oposição. Quando os novos crentes foram acusados de se rebelarem contra César (At 17.5-8), Paulo deixou a cidade apressadamente e foi para Bereia, Atenas e Corinto. Ele tentou voltar mais de uma vez, mas foi impedido por circunstâncias que atribuiu a Satanás (1Ts 2.18). Sua preocupação com essa nova igreja o levou a enviar seu colega de trabalho, Timóteo, para saber se estavam bem e para os "fortaleccê-los e dar-lhes ânimo na fé" (3.2).

Timóteo voltou com um relatório encorajador: embora estivesse sofrendo perseguição e precisasse crescer mais na fé, a igreja havia se tornado uma igreja-modelo (3.7,8). De Corinto, Paulo escreveu para encorajá-los a continuar crescendo em fé, amor e esperança, apesar da perseguição. Cerca de seis meses depois de escrever

1Tessalonicenses, ele escreveu 2Tessalonicenses para refutar o ensino incorreto sobre o dia do Senhor (2.2).

RESUMO

□ ***Percepção pessoal (1.1—3.13)***

Paulo cumprimenta os crentes e dá graças a Deus porque eles cresceram em sua obra de fé, em seu trabalho de amor e em sua firme esperança em Jesus.

Ele elogia a igreja, defende seu próprio ministério e os exorta a permanecerem fortes na fé.

UMA IGREJA EXEMPLAR (1.4-10)

Paulo tem certeza de que Deus os escolheu por causa de sua resposta entusiástica às boas-novas. Eles haviam recebido a mensagem de Paulo com poder e alegria do Espírito Santo.

Eles são uma igreja-modelo. Em todas as cidades vizinhas, na região da Macedônia, as pessoas sabem que eles renegaram os ídolos para servir ao Deus vivo e verdadeiro. Paulo assegura que eles estão livres da "ira vindoura" (v. 10).

Ele termina seu elogio com uma referência à volta de Cristo, que menciona em todos os capítulos (1.10; 2.19; 3.13; 4.13-18; 5.23).

UM MINISTÉRIO ÍNTEGRO (2.1—3.13)

Paulo defende suas motivações e seu ministério desde quando os visitou. Embora tenha sofrido em Filipos, Deus lhe deu coragem para pregar em Tessalônica. Ao contrário de alguns mestres itinerantes, ele é honesto, realmente interessado em servir a Deus, e não em enriquecer por meios fraudulentos.

Paulo usa duas ilustrações significativas para descrever seu amor pelos tessalonicenses. Ele cuida deles como uma mãe que amamenta e os instrui como um pai.

Ele os exorta a viver de modo digno de seu chamado para fazer parte do reino de Deus.

Ele sente profunda gratidão pela resposta que deram à pregação das boas-novas, recebendo suas palavras como a Palavra de Deus.

Paulo lhes garante que eles não estão sozinhos no sofrimento e que a ira de Deus cairá sobre seus perseguidores.

Paulo demonstra profunda preocupação com a igreja de Tessalônica. Ele foi arrancado às pressas de seu convívio e também, de alguma forma, impedido por Satanás de voltar.

Ele fica muito animado com o relatório de Timóteo sobre a fé e o amor da igreja e por saber que o desejo que tem de revê-los é recíproco. Ele não cessa de agradecer a Deus por sua fé inabalável.

Paulo espera vê-los em breve e ora por seu crescimento em amor e santidade.

☐ *Instruções práticas (4.1—5.22)*

Paulo dá orientação sobre a vida cristã diária, a morte e o dia do Senhor.

Ele exorta seus leitores a viver para agradar a Deus, especialmente no campo da moralidade sexual. É vontade de Deus que eles controlem suas paixões sexuais.

Embora seja uma igreja amorosa, ele pede que seus membros se amem ainda mais.

Como crentes, eles devem ser cidadãos-modelo, trabalhando para seu próprio sustento.

Como eles estavam preocupados com o que acontecerá com os que morrerem antes da volta de Cristo, Paulo lhes assegura que tanto os vivos quanto os mortos irão ao encontro do Senhor nos ares.

Ele garante que eles não serão surpreendidos no dia em que Cristo voltar. São "filhos da luz", não das "trevas" (5.5).

Paulo encerra a carta falando sobre suas expectativas em relação a eles, principalmente nos relacionamentos com outros crentes.

Para viver de forma ativa e útil, eles devem conservar o que é bom e abster-se de toda forma de mal.

☐ *Oração e bênção (5.23-28)*

Paulo ora para que o Deus de paz os santifique em todos os sentidos. Também pede que orem por ele e seus colaboradores e transmitam seus cumprimentos a todos.

Ele os abençoa com a graça.

MENSAGEM

A notável conversão dos tessalonicenses foi um testemunho do Deus vivo. Assim como eles, quando somos transformados pelo poder do Espírito, tornamo-nos testemunhas vivas do poder da fé, do amor e da esperança em Cristo Jesus (1.2-10).

Todos enfrentaremos a amargura da morte física. Essas palavras de Paulo devem nos inspirar com esperança: "Não queremos que sejam ignorantes em relação aos que dormem na morte, para que não se entristeçam como os outros que não têm esperança. Porque, se cremos que Jesus morreu e ressuscitou, também cremos que Deus trará com Jesus os que dormiram nele" (4.13,14).

2TESSALONICENSES

CONTEXTO

Paulo escreveu 2Tessalonicenses (em meados da década de 50 d.C.) cerca de seis meses após a primeira carta à mesma igreja.

Após pregar as boas-novas de Jesus, Paulo foi forçado a sair da cidade por causa da perseguição. Chegando em Corinto, ficou preocupado com a igreja e enviou Timóteo de volta a Tessalônica. A carta de 1Tessalonicenses foi uma resposta ao relatório encorajador de Timóteo.

Mais tarde, ele soube que os tessalonicenses haviam recebido uma carta confusa, pretensamente escrita por ele, dizendo que "o dia do Senhor" já havia chegado. Isso era mentira, e o apóstolo escreveu sua segunda carta para corrigir o engano. Ele também os encorajou a permanecer fiéis a Cristo, e repreendeu alguns preguiçosos que não trabalhavam para ganhar a vida.

RESUMO

☐ ***Consolo (1.1-12)***

Paulo cumprimenta a igreja em Tessalônica, desejando-lhes graça e paz em nome de Deus Pai e do Senhor Jesus Cristo.

Ele é grato pela perseverança deles. Diante da perseguição e tribulações imensas, eles continuam a crescer em fé e amor.

O sofrimento intenso, porém, suscitou uma dúvida sobre a justiça de Deus. Paulo garante que Deus é justo e explica que o sofrimento deles é evidência de que são dignos do reino. Ele lhes assegura que serão resgatados quando Cristo voltar em fogo ardente, julgando e punindo os que não crerem. Nesse mesmo dia, Jesus será glorificado nos que creem nele.

Paulo ora para que eles permaneçam dignos de seu chamado e tragam honra ao nome de Cristo. A motivação para seu pedido é o poder e a graça de Deus.

☐ *Correção (2.1-17)*

Paulo aborda o falso ensino contido em outra carta que alegavam ter sido escrita por ele.

Ele é taxativo. Os tessalonicenses não têm motivo para se alarmar; eles não perderam o dia do Senhor. Antes desse dia, haverá uma rebelião seguida pela revelação do "homem do pecado" (v. 3). Esse homem se exaltará, chegando ao ponto de alegar ser o próprio Deus.

Os tessalonicenses devem lembrar que o dia do Senhor "não virá até que aconteça a apostasia e o homem do pecado seja revelado" (v. 3). Ele [o Anticristo] está sendo detido, "para que possa ser revelado no tempo adequado" (v. 6). Quando isso acontecer, Cristo o destruirá "com o esplendor de sua vinda" (v. 8).

O "homem do pecado" é um agente de Satanás que tem poder para enganar. Muitos acreditarão em suas mentiras, mas Paulo quer que os tessalonicenses saibam que são amados por Deus e salvos por sua graça. Eles devem se apegar firmemente ao que lhes foi ensinado.

☐ *Ordens (3.1-15)*

Paulo pede que orem por ele e seus companheiros. Ele está confiante de que obedecerão às suas instruções e antecipa que Deus encherá de amor o coração de cada um deles.

Como alguns pararam de trabalhar e se tornaram preguiçosos, Paulo deu a seguinte ordem: "Quem não quiser trabalhar, também não coma" (v. 10).

Paulo encoraja os que estavam trabalhando a não se cansarem de fazer o bem e a evitar os que desobedecem às suas instruções.

☐ ***Uma bênção de paz (3.16-18)***

Paulo pede em oração que o Senhor da paz lhes dê paz em todos os momentos e em todos os sentidos. Ele assina sua própria saudação e os recomenda à graça do Senhor Jesus Cristo.

MENSAGEM

Os crentes de Tessalônica estavam perseverando, embora fossem perseguidos. Seu sofrimento, no entanto, os levou a questionar a justiça de Deus. Tempos difíceis podem nos levar a isso. Quando temos de enfrentar dificuldades inesperadas e aparentemente imerecidas, nos perguntamos o porquê. As palavras de encorajamento de Paulo nos asseguram que Deus é justo. Devemos perseverar em todas as circunstâncias, sabendo que Deus finalmente equilibrará a balança da justiça. Seremos glorificados com Cristo, e todos os que o rejeitarem serão castigados.

1TIMÓTEO

CONTEXTO

Paulo escreveu as três epístolas pastorais — 1Timóteo, 2Timóteo e Tito — entre 62 ou 63 e 67 d.C. Elas são endereçadas a indivíduos, e não a igrejas, e são chamadas de pastorais porque instruem Timóteo e Tito, os assistentes pastorais de Paulo, sobre assuntos relacionados à organização e à função da igreja.

Após sua libertação da prisão domiciliar (At 28.30,31), o apóstolo continuou a ministrar na região do Mediterrâneo. Ele designou Timóteo para a igreja de Éfeso (1Tm 1.3,4) e Tito para a de Creta (Tt 1.4,5). Os dois enfrentaram os desafios de organizar a igreja, ensinar o modo de vida cristão e refutar o ensino espúrio.

A expressão “esta é uma afirmação confiável” ocorre várias vezes nessas três cartas, mas em nenhuma outra epístola. Paulo pode tê-la usado para enfatizar pontos-chave de seu ensino ou pode estar se referindo a verdades que a igreja primitiva determinou serem fundamentais para a fé cristã.

Cerca de dois anos depois, durante o governo de Nero, Paulo foi preso pela segunda vez e mantido na dura Prisão Mamertina, em Roma. Ele pediu a Timóteo para trazer sua capa e seus pergaminhos (2Tm 4.13) porque estava confinado a uma cela subterrânea (6 x 3 x 2 m), com apenas um buraco no teto para acesso. Sabendo que provavelmente seria executado, Paulo escreveu 2Timóteo, sua última carta, para exortar o jovem a transmitir fielmente o que ele havia ensinado (2.1,2).

Segundo a tradição, Paulo, por ser cidadão romano, foi executado por decapitação, e não por crucificação, por volta do ano 67 d.C.

RESUMO

☐ *Não desperdice seu tempo (1.1-20)*

Paulo se identifica como apóstolo, cumprimenta Timóteo e acrescenta misericórdia à sua saudação padrão de graça e paz.

Ele começa encarregando Timóteo de silenciar falsos mestres que estão usando a Lei de maneira errada. Em vez de especular sobre inúteis "mitos ou genealogias intermináveis" (v. 4), Timóteo deve usar a oportunidade para refutar falsas doutrinas e incentivar uma vida justa.

Paulo se refere à sua própria experiência de conversão como um exemplo de como a fé em Cristo Jesus pode transformar até os piores dos pecadores (como ele se considera).

Ele encarrega Timóteo de defender a fé e menciona dois homens que havia expulsado da igreja por causa de seus ensinamentos heréticos.

☐ *Sobre funções e responsabilidades (2.1-15)*

Como os falsos mestres haviam ensinado coisas erradas à igreja sobre aspectos cruciais do ministério, Paulo dá instruções sobre a oração, a conduta das mulheres e as qualificações exigidas de presbíteros e diáconos.

Ele exorta os crentes a orarem pela salvação de todos e lembra à igreja que há "um só Deus e um só mediador entre Deus e os homens" (v. 5), que é Cristo Jesus.

Ele quer que os homens orem e que as mulheres se vistam com decência e decoro.

Por causa da ameaça à estrutura da família e da perda de distinções de gênero na igreja de Éfeso, Paulo corrige mal-entendidos sobre a Criação e a Queda. Ele instrui as mulheres a aprenderem sem insistir em ocupar posições de autoridade, reconhecendo que elas têm uma função importante no casamento.

☐ ***Qualificações dos presbíteros e diáconos (3.1-13)***

Paulo identifica duas funções de liderança na igreja. Ele encoraja os homens a procurarem servir como presbíteros, embora precisem ser qualificados para fazê-lo, e lista as qualificações necessárias aos presbíteros e diáconos, baseadas no caráter.

☐ ***A igreja e o mistério de Cristo (3.14-16)***

Esses versículos são o cerne da epístola e explicam por que Paulo está preocupado com a ameaça dos falsos mestres. A igreja não é apenas um grupo que se reúne para atividades sociais ou cívicas. As igrejas primitivas geralmente se encontravam nos lares; ele descreve a igreja como uma família habitada por Deus, responsável por defender a verdade.

Usando o que talvez tivesse sido um hino da igreja primitiva (v. 16), Paulo explica por que Cristo veio ao mundo. Jesus foi justificado em Espírito, visto por anjos, pregado entre os gentios, crido no mundo e recebido na glória.

☐ ***Instruções para Timóteo (4.1-16)***

Timóteo não deve se alarmar com a vinda de falsos mestres. O Espírito Santo alertou sobre a vinda de homens inspirados por demônios; eles seriam hipócritas e mentirosos.

Contudo, Timóteo deve servir com integridade e se exercitar para ser piedoso. Embora seja jovem, não deve se deixar intimidar; deve lembrar por que os presbíteros o nomearam, dar bom exemplo de como se deve viver e ensinar fielmente as Escrituras.

☐ ***Instruções para vários grupos (5.1—6.2a)***

Quando Paulo escreveu essas epístolas, a igreja havia desenvolvido uma estrutura organizacional; vários grupos dentro da congregação poderiam ser identificados. Ele dá orientações relativas a homens e mulheres mais velhos e mais jovens, viúvas, presbíteros e escravos.

A igreja deve respeitar os homens e as mulheres igualmente, e os homens devem respeitar particularmente a pureza das mulheres mais jovens.

No mundo antigo, não havia programas de assistência social. Sem os membros da família para ajudar, as viúvas lutavam para sobreviver. Paulo diz que a igreja deve cuidar daqueles que realmente precisam de ajuda. Se uma viúva tem familiares que podem cuidar dela, a igreja não é responsável. As viúvas mais velhas devem se dedicar a servir os outros; viúvas mais jovens devem considerar um novo casamento.

Quanto à responsabilidade da igreja em relação aos presbíteros, Paulo cita Deuteronômio 25.4 como base para o pagamento dos que pregam e ensinam. Falsos mestres haviam feito acusações infundadas contra alguns presbíteros; Paulo diz que as acusações precisam ser confirmadas por duas ou três testemunhas. Se um líder pecar publicamente, deve ser repreendido publicamente como um aviso para os outros.

Ele aconselha Timóteo a não beber apenas água, mas misturar um pouco de vinho por causa de algum problema estomacal e outras doenças.

Os escravos devem respeitar seus senhores e trabalhar duro como um testemunho de sua fé em Deus. Se seus senhores forem crentes, mais uma razão para demonstrar respeito.

□ *O que Timóteo deveria ensinar (6.2b-21)*

Os falsos mestres são arrogantes e provocam divisão; Timóteo, ao contrário, deve ensinar a verdade que promove uma vida piedosa, traz contentamento e evita o perigo do amor ao dinheiro.

Novamente, Paulo o exorta a buscar diligentemente uma vida piedosa e a não fazer nada que possa suscitar suspeitas sobre sua integridade. O motivo para ser escrupuloso nessas questões é a certeza da volta gloriosa do Senhor Jesus Cristo.

Os ricos devem ajudar os outros, guardando tesouros no céu, não na terra. Paulo conclui com uma última recomendação de que Timóteo evite discussões tolas e depois o recomenda à graça de Deus.

MENSAGEM

Pastorear uma igreja pode ser difícil, mesmo para quem não é jovem. Em Éfeso, Timóteo enfrentava um desafio assustador. Ele era inexperiente; a igreja estava ameaçada por falsos mestres. Paulo o encoraja a lutar "o bom combate" (1.18), o que significava que ele deveria salvaguardar a sã doutrina, selecionar e instruir líderes maduros, vigiar atentamente sua vida pessoal e, com tato, corrigir e instruir vários grupos da igreja. O conselho de Paulo é valioso para os pastores de hoje.

Timóteo ministrava sob a sombra do templo de Ártemis, uma das Sete Maravilhas do mundo antigo. No entanto, Paulo enfatiza que a igreja é que é "a coluna e o alicerce da verdade" (3.15). Deus é a fonte da verdade, e a igreja tem a responsabilidade de exibir a verdade para que o mundo a veja.

"Exercite-se na piedade" é uma metáfora atlética que Paulo usou para exortar Timóteo a se disciplinar a fim de aperfeiçoar sua aptidão espiritual (4.7). Ter um estilo de vida ativo é algo saudável e, embora Paulo não tenha menosprezado de forma alguma a prática de exercícios físicos, ele enfatizou a importância das disciplinas espirituais. O exercício para a piedade traz bênçãos nesta vida e na vindoura (4.8).

Paulo também não condenou a riqueza, mas alertou sobre "o amor ao dinheiro" (6.10). O impulso incontrolado de adquirir coisas pode mergulhar uma pessoa na ruína e destruição. E nós não podemos comprar contentamento. Melhor buscar a piedade e nos contentarmos com o que Deus nos dá. Confie em Deus; ajude os necessitados. A generosidade é um investimento eterno (6.17-19).

2TIMÓTEO

CONTEXTO

Paulo escreveu 2Timóteo em Roma, na cela de uma prisão, por volta de 64-65 d.C.

Após a primeira prisão, Paulo foi liberto e continuou servindo por cerca de dois anos. Ele enviou Timóteo para Éfeso e Tito para Creta. Os dois encontraram falsos mestres que distorciam o que Paulo havia ensinado e defendiam estilos de vida imorais. Paulo escreveu 1Timóteo e Tito para instruí-los e encorajá-los. Ao ser novamente encarcerado, dessa vez na Prisão Mamertina, ele percebeu que sua vida e ministério estavam chegando ao fim. A Segunda Epístola a Timóteo foi escrita para enfatizar a necessidade de transmitir a fé cristã de geração em geração (2.1,2) e para pedir a Timóteo que fosse a Roma o mais rápido possível (3.21).

RESUMO

☐ ***Não se envergonhe (1.1-18)***

Paulo se identifica como apóstolo e cumprimenta Timóteo. Ele está mais velho agora do que quando se conheceram e se sente particularmente grato por seu jovem filho na fé. Paulo ora por ele, lembra-se da separação emocionada e espera revê-lo em breve.

Paulo lembra Timóteo de sua herança cristã, de seu dom ministerial e de como o havia ordenado para o ministério. Timóteo deve se esforçar para superar sua timidez e ser forte no Senhor; ao ir a Roma e continuar no ministério, ele precisa estar preparado para sofrer. Para reforçar a determinação do jovem em viver uma vida santa, Paulo lembra que Deus o salvou pela graça de Cristo Jesus.

Paulo, preso e provavelmente prestes a ser executado, não se envergonha; ele está absolutamente certo de que o "depósito" que confiou a Deus é seguro. Ele exorta Timóteo a guardar fielmente a verdade que recebera do apóstolo.

Ele cita o exemplo negativo de alguns que o abandonaram e elogia o exemplo positivo de Onesíforo e sua família.

☐ ***A graça de Deus e o exemplo de Cristo (2.1-13)***

Paulo sabe que Timóteo enfrentará as mesmas dificuldades que ele encontrou ao servir a Cristo. Ele usa quatro imagens verbais para exortar Timóteo a "fortificar-se na graça que há em Cristo Jesus": mestre, soldado, atleta e agricultor.

Ele se refere ao exemplo de Cristo, sofredor, mas vitorioso até mesmo sobre a morte. A pregação das boas-novas é o motivo pelo qual Paulo foi preso. Mas, mesmo que ele esteja acorrentado, a palavra de Deus não está acorrentada. Ele está disposto a suportar qualquer coisa pela salvação de outros.

O refrão sobre "confiabilidade" nos versículos 11-13 enfatiza a fidelidade de Deus.

☐ ***Um vaso puro e um mestre bondoso (2.14-26)***

Paulo ordena firmemente a Timóteo que impeça os falsos mestres de perturbarem a igreja com argumentos inúteis e destrutivos. Em vez disso, ele deve se esforçar ao máximo para ensinar a verdade, evitando a heresia contagiosa ensinada por homens como Himeneu e Fileto.

É absolutamente essencial que os crentes se afastem do mal. Usando a analogia de uma casa onde há vasos de ouro e prata, mas também de madeira e barro, Paulo instrui Timóteo a manter-se puro, útil para toda boa obra.

Como servo do Senhor, ele não deve se envolver em discussões amargas e que trazem divisão, mas, sim, instruir os outros de forma paciente e gentil, mesmo os que rejeitaram a verdade.

☐ *Os últimos dias (3.1-9)*

Paulo diz a Timóteo o que esperar se, de fato, eles estiverem vivendo nos últimos dias. As pessoas serão inimaginavelmente perversas, amantes de si mesmas, gananciosas e arrogantes. Elas rejeitarão a Deus, o único que pode salvá-las.

Aparentemente, o alvo principal dos falsos mestres eram as mulheres, e haviam conseguido corromper algumas delas. Paulo identifica dois falsos mestres notórios: Janes e Jambres.

☐ *A Palavra é "divinamente inspirada" (3.10—4.5)*

Para evitar que Timóteo desanime em face da oposição, Paulo lembra-o de quanto ele havia sofrido ao servir a Cristo e adverte que quem se esforça para viver uma vida de retidão será inevitavelmente perseguido.

Em uma das passagens mais importantes da Bíblia acerca da inspiração, Paulo confirma que Deus é o autor final de toda a Escritura, que ele declara ser inspirada por Deus (literalmente, "soprada por Deus") e eficaz para equipar os crentes "para toda boa obra" (3.16,17).

Cristo voltará visivelmente para julgar os vivos e os mortos; Timóteo deve pregar fielmente a Palavra em todas as ocasiões. Sabendo que seu fim neste mundo está próximo, Paulo passa o manto da liderança a seu "jovem filho".

☐ *A coroa da justiça (4.6-8)*

Paulo usa as metáforas de uma oferta e de uma corrida para resumir sua vida. Embora não saiba qual será o veredito do imperador romano, ele sabe que Cristo é justo e o recompensará por uma vida de serviço dedicado.

☐ ***Um apelo e uma advertência; preparando-se para o fim (4.9-22)***

Ele pede que Timóteo vá a Roma e menciona Lucas (um médico; Cl 4.14) e (João) Marcos, que havia abandonado Paulo na primeira viagem missionária, mas agora é de grande ajuda no ministério. Ele também menciona Alexandre, que aparentemente lhe causou muitos danos.

Paulo estava sozinho em sua primeira audiência diante do imperador, mas sentiu a presença do Senhor. Ele não sabe qual será o resultado em seu julgamento atual, mas está confiante de que, se for executado, o Senhor o levará com segurança ao seu reino celestial.

Paulo pede a Timóteo que cumprimente alguns amigos e transmite as saudações de alguns crentes de Roma a Timóteo. Ele conclui abençoando com a graça a todos os de Éfeso.

MENSAGEM

Dizem que, no leito de morte, Karl Marx disse: "Últimas palavras são para tolos que não disseram o suficiente durante a vida". Ele estava errado. As últimas palavras geralmente resumem a sabedoria e o entendimento de uma vida. Por isso, 2Timóteo é importante. Paulo registra suas últimas palavras e revela o que o motivou a uma vida de serviço dedicado a Cristo. A hora da "partida" chegará para todos nós. Queremos ser capazes de olhar para trás na vida e dizer, como Paulo: "Terminei a corrida, guardei a fé" (4.7). Queremos estar prontos para encontrar o Senhor.

TITO

CONTEXTO

Paulo escreveu Tito, a terceira epístola pastoral, em meados da década de 60 d.C. Entre a primeira e a segunda prisão, ele pregou o evangelho na ilha de Creta e fundou uma igreja.

A respeito dos cretenses, que eram notoriamente corruptos, um de seus próprios profetas escreveu: "[Eles] são sempre mentirosos, feras malignas, glutões preguiçosos" (1.12). Tito enfrentava uma tarefa difícil. Era essencial que os crentes cretenses desenvolvessem um estilo de vida cristão. Além da questão da integridade, Paulo estava muito preocupado com o fato de estarem sendo ameaçados por falsos mestres.

Depois de deixar Timóteo em Éfeso, Paulo e Tito haviam viajado para Creta. Paulo deixou Tito ali e depois escreveu a carta instruindo-o a nomear líderes e a ensinar a verdade que ajudaria os crentes a viverem uma vida de retidão. A forma autoritária e o estilo imperativo da epístola transmitem uma sensação de urgência. Uma das características ímpares dessa carta é a intercalação de três seções doutrinárias com instruções pessoais (1.1-4; 2.11-15; 3.4-7).

RESUMO

□ ***Deus, que não pode mentir (1.1-4)***

Paulo apresenta a si mesmo e seu propósito: ele é um escravo de Deus e um apóstolo de Jesus enviado para proclamar a mensagem da vida eterna. A vida eterna, o presente de Deus para aqueles que ele escolheu, é recebida por meio da fé.

Paulo enfatiza a integridade de Deus — ele absolutamente "não mente" (1.2). Tito é um verdadeiro filho de Paulo na fé que os dois têm em comum.

☐ *A necessidade de que a igreja tenha líderes piedosos (1.5-16)*

Tito deve nomear presbíteros; Paulo lista as qualificações que devem ter. Acima de tudo, devem ser irrepreensíveis, totalmente devotados à verdade e capazes de ensinar a doutrina a outros.

Os falsos mestres, ou "insubordinados", afirmam que a circuncisão é essencial para a salvação e levaram famílias inteiras a se desviarem. Paulo cita um dos profetas locais ao expor sua ganância e corrupção e diz a Tito que os repreenda severamente. Embora afirmem conhecer a Deus, negam a Deus na maneira que vivem.

☐ *Viver santo (2.1-10)*

A diferentes grupos da igreja, Tito deve ensinar verdades que os ajudarão a viver de maneira tal que a vida cristã atraia os incrédulos. Os homens mais velhos devem manifestar traços de maturidade em sua conduta e caráter. As mulheres mais velhas devem agir de forma honrada e ensinar as mais jovens a ser excelentes esposas e mães. Os homens mais jovens devem exercer autocontrole, e os escravos devem obedecer a seus senhores e ser dignos de confiança. Tito deve servir com integridade.

☐ *O poder moral da encarnação (2.11-15)*

Na segunda seção doutrinária, Paulo descreve o poder moral da encarnação (a manifestação da "graça de Deus"). Cristo deu a vida para nos salvar de uma vida ímpia e pecaminosa. Uma vez que os crentes aguardam seu retorno, devemos em sua força buscar sabedoria, retidão e devoção a Deus. Essas são as verdades que Paulo quer que Tito ensine.

☐ *A bondade e o amor de Deus (3.1-8)*

Paulo ensina aos cretenses como se relacionar com as pessoas de fora da igreja. Eles devem se submeter a seus governantes e tratar todas as pessoas com bondade.

Na terceira seção doutrinária, Paulo explica por que é essencial que os crentes abandonem seu antigo modo de vida: eles haviam sido desobedientes, vivendo em pecado, mas Deus, em sua misericórdia, os salvou, os purificou e lhes deu nova vida por meio de seu Espírito. Deus, por sua graça, os declarou justos e os tornou herdeiros da vida eterna. Essa é uma "palavra digna de crédito" — os crentes devem se dedicar "às boas obras" (v. 8).

☐ *Evite questões tolas (3.9-11)*

Paulo novamente alerta contra os falsos mestres que estão propositadamente causando dissensão na igreja. Em vez de viver de maneira piedosa, eles se concentram em "controvérsias tolas, genealogias, discórdias e contendas acerca da lei" que são "inúteis e sem valor" (v. 9).

Tito deve advertir esses homens duas vezes; se não o ouvirem, ele e a igreja não terão mais nada que ver com eles. Essas pessoas serão condenadas por seus próprios pecados.

☐ *Planos futuros (3.12-15)*

Paulo explica seus planos futuros e pede a Tito que ajude outras pessoas que estão servindo a Cristo. Dedicando-se a fazer o bem, os cretenses podem evitar tornar-se infrutíferos.

Ele encerra com os cumprimentos de seus companheiros e uma bênção para a congregação.

MENSAGEM

Ao contrário daqueles homens conhecidos como mentirosos de má reputação, não precisamos duvidar de nada que Deus diga — *ele não mente* (1.2). Como os cretenses, vivemos em uma cultura severamente deficiente em integridade. Não podemos arranjar justificativas para nossa própria falta de confiabilidade e devemos resistir à tentação de comprometer a verdade para conseguir o que queremos. Deus quer que sejamos como Jesus Cristo.

A salvação é um presente da graça e misericórdia de Deus. Não podemos salvar a nós mesmos acumulando boas obras. No entanto, devemos responder à graça divina vivendo de tal maneira que a vida em Cristo seja atraente para os outros. É fácil entrar em discussões inúteis sobre questões insignificantes. Em vez disso, vamos nos dedicar "às boas obras" (3.8).

FILEMOM

CONTEXTO

Paulo escreveu Filemom enquanto estava em prisão domiciliar em Roma (61-62 d.C.). Essa é uma das quatro Epístolas da Prisão (com Efésios, Colossenses e Filipenses). Filemom, o destinatário principal, era provavelmente um líder (presbítero) da igreja colossense, que se reunia em sua casa. Ele era suficientemente rico para possuir escravos e tinha uma casa grande o suficiente para hospedar a igreja.

Paulo informou a Filemom que Onésimo, um escravo fugido, havia se tornado cristão. Aparentemente, Onésimo havia roubado dinheiro ou algum bem de Filemom e fugido para Roma, na esperança de desaparecer entre as massas na capital do império. Provavelmente foi em consequência do ministério de Paulo que Onésimo confiou em Cristo como seu Salvador. Percebendo que Filemom era seu proprietário legal, Paulo o enviou de volta a Colossos com a carta, incentivando Filemom a recebê-lo como um crente, não como um escravo (v. 15,16). Ele também enfatizou que Onésimo se tornara "útil" no serviço de Cristo (v. 11).

RESUMO

☐ ***Saudações e agradecimentos (v. 1-7)***

Paulo cumprimenta Filemom, Áfia e Arquipo com graça e paz. Áfia provavelmente era a esposa de Arquipo. Paulo dá graças a Deus por sua fé no Senhor Jesus e seu amor por todos os santos.

☐ ***Com base no amor (v. 8-19)***

Paulo faz seu pedido com base no amor, não em sua autoridade apostólica, e diz a Filemom que se tornou o pai espiritual de Onésimo.

Como crente, Onésimo ofereceu ajuda oportuna durante a prisão de Paulo. Ele agora quer que Filemom, de bom grado, não de má vontade, acolha Onésimo como irmão em Cristo. A esperança de Paulo é que, como Onésimo agora é um cristão, o vínculo espiritual entre eles transcenda o relacionamento senhor-escravo. Ele oferece uma compensação pelo prejuízo que Filemom possa ter sofrido, mas também lembra que ele tem uma dívida com Paulo, porque foi por seu intermédio que ele veio a crer em Cristo como seu Salvador.

☐ ***Esperança e planos (v. 20-25)***

Assim como Filemom animou o coração dos santos (v. 7), Paulo pede que ele também anime seu coração, atendendo ao pedido que lhe faz. Prevendo sua libertação da prisão domiciliar, Paulo pede a Filemom que prepare um quarto para ele, envia cumprimentos de Epafras, Marcos, Aristarco, Demas e Lucas, e conclui com uma bênção.

MENSAGEM

Estima-se que havia um milhão de escravos no século 1; a escravidão era uma instituição em todo o império. Muitos haviam sido escravizados em consequência da conquista militar; outros se venderam como escravos por razões econômicas. Nos dois casos, os escravos eram considerados propriedades, não pessoas. Para Aristóteles, o escravo era uma "ferramenta viva".

Desde o relato da criação em Gênesis e ao longo de todo o Antigo e o Novo Testamento, a Bíblia enfatiza a dignidade e a igualdade de todas as pessoas. Embora Paulo não condene diretamente a escravidão, ele incentiva Filemom a deixar de lado o relacionamento senhor-escravo e passar a considerar Onésimo como um "irmão amado" (v. 16).

Paulo era um cidadão romano instruído, mas tornou-se defensor de um escravo fugido. Como ele, alguns dos maiores defensores do movimento antiescravagista foram cristãos inspirados pela Bíblia.

HEBREUS

CONTEXTO

Uma questão importante sobre essa epístola é sua autoria. A posição tradicional é que Paulo a escreveu, embora seu nome não seja mencionado, como em suas outras treze cartas canônicas. O vocabulário e o estilo são diferentes dos dele; além disso, o autor afirma não ser um dos que receberam as boas-novas diretamente de Jesus Cristo (2.3). Paulo recebeu o evangelho por revelação de Jesus (v. Gl 1.11,12).

Embora vários nomes tenham sido sugeridos — por exemplo, Lucas, Barnabé, Filipe, Priscila, Apolo — Orígenes, teólogo do terceiro século, escreveu: "Quem realmente escreveu a epístola, só Deus sabe".

Felizmente, essa pergunta não afeta a autenticidade nem a autoridade da carta. Hebreus é inquestionavelmente um livro inspirado do Novo Testamento.

Os leitores originais eram judeus que haviam decidido se tornar seguidores de Cristo; entretanto, dada a perseguição, alguns se sentiam tentados a retornar ao judaísmo. Em cinco passagens (2.1-4; 3.7-19; 5.11—6.8; 10.26-39; 12.25-29) o autor os adverte a não abandonarem Cristo e a igreja. O escritor também mostra que o cristianismo é superior e usa as palavras *melhor* e *maior* doze vezes para enfatizar a supremacia de Cristo.

Embora classificada como uma epístola, alguns acreditam que Hebreus era inicialmente um sermão e depois foi escrito como uma carta aos destinatários.

RESUMO

☐ *No passado [...] nestes últimos dias, porém... (1.1-3)*

Em lugar da saudação epistolar padrão, o escritor começa com uma declaração feita para atrair a atenção do leitor. "No passado, por meio dos profetas, Deus falou aos nossos antepassados muitas vezes e de muitas maneiras, mas [agora], nestes últimos dias, ele nos falou por seu Filho..." (v. 1,2). Jesus é a revelação suprema de Deus, sua palavra final.

☐ *A superioridade da pessoa de Jesus (1.4—7.17)*

Para encorajar seus leitores a solidificar seu compromisso e não retornar ao judaísmo, o escritor fornece evidências da superioridade de Jesus em relação aos anjos, a Moisés, a Josué e a Arão. Ele usa passagens e histórias específicas do Antigo Testamento para enfatizar a inadequação do antigo sistema. Intercaladas com seus argumentos, estão as três primeiras passagens de alerta.

Com numerosas citações extraídas do Antigo Testamento, o escritor demonstra que Jesus, por causa de sua posição exaltada como Filho de Deus, é muito maior do que os anjos.

Depois de alertar sobre o perigo de se afastar da fé em Cristo, o escritor explica por que Jesus se tornou homem, uma posição um pouco menor que a dos anjos — para morrer como sacrifício pelos pecados. Por causa de seu sofrimento e morte, Deus exaltou seu Filho, e ele se tornou o guia perfeito para levar as pessoas a Deus e o Sumo Sacerdote fiel e ideal.

Jesus é maior do que Moisés, um servo fiel na casa de Deus, porque é o Filho de Deus, o construtor e o chefe da casa. Novamente o escritor adverte sobre as terríveis consequências de endurecer o coração, como os israelitas fizeram quando se rebelaram no deserto.

Embora Josué tentasse conduzir o povo de Deus à Terra Prometida e ao descanso, eles se revoltaram e morreram no deserto. Mas o escritor oferece esperança. As pessoas ainda podem entrar no "descanso de Deus" — se obedecerem à sua Palavra viva e poderosa.

Assim como Arão foi nomeado sumo sacerdote, Deus também nomeou Jesus, mas em uma ordem sacerdotal diferente — a ordem de Melquisedeque. Jesus é um sumo sacerdote superior porque era sem pecado e não precisou oferecer sacrifícios por seus próprios pecados antes de poder sacrificar-se pelos outros.

A terceira passagem de advertência é difícil. Pelo tempo que havia se passado desde que os hebreus se tornaram crentes, eles já deveriam estar ensinando aos outros; em vez disso, ainda eram espiritualmente imaturos e precisavam de mais instruções. O problema interpretativo é que, em certo sentido, eles haviam experimentado uma nova vida no Espírito, mas é possível que alguns abandonem a Cristo e seu sacrifício.

Na passagem de 7.1-20, o escritor explica por que Jesus, um sumo sacerdote da ordem de Melquisedeque, é superior aos levitas. Seu argumento, que é judaico e parece estranho para muitos leitores modernos, baseia-se no fato de Levi ser descendente de Abraão. O fato de Abraão ter pago o dízimo a Melquisedeque mostra a superioridade do sacerdócio de Cristo sobre o dos levitas.

□ *A superioridade da obra de Jesus (8.1—10.39)*

Não só Jesus é superior aos servos de Deus que viveram no passado, como seu ministério sob a nova aliança é superior à antiga aliança (a lei). O ministério de Jesus é exercido no tabernáculo celestial (não no terrestre); ele mediou uma aliança melhor; sua morte na cruz foi um sacrifício melhor.

Jesus é um sumo sacerdote superior porque ministra no tabernáculo celestial, e não no terrestre, que é apenas uma cópia do celestial.

O escritor cita Jeremias (31.31-34) para corroborar a superioridade da nova aliança. Escrita no coração das pessoas, e não em tábuas de pedra, ela fornece completo e permanente perdão dos pecados. Sua promulgação é prova de que a antiga aliança está obsoleta.

O sacrifício de Jesus é superior ao sangue de touros e bodes porque os sacrifícios de animais apenas tornavam as pessoas cerimonialmente limpas. O sangue de Jesus fornece limpeza espiritual, e ele só precisou morrer uma vez. De acordo com a lei, os sacrifícios precisavam ser repetidos várias vezes. Mas Jesus, após seu sacrifício, sentou-se à destra de Deus. A obra foi consumada.

Pela quarta vez, o escritor adverte: quem deliberadamente continuar pecando e demonstrar desprezo pelo sacrifício de Jesus é inimigo de Deus e será consumido em fogo ardente.

☐ ***A superioridade da fé (11.1—12.29)***

Depois de uma lista de exemplos notáveis de homens e mulheres de fé, o autor exorta seus leitores a perseverarem, mantendo os olhos fixos em Jesus, aceitando a disciplina divina como evidência de que são filhos de Deus e se esforçando ao máximo para viver em paz e santidade.

O autor dá um aviso final de que ninguém que se recuse a ouvir o Filho de Deus escapará do julgamento de Deus.

☐ ***Instruções finais e bênção (13.1-25)***

O escritor fornece instruções práticas e éticas sobre como se relacionar com os membros da família de Deus e com as pessoas de fora. Ele os exorta a obedecer a seus líderes e pede que orem por ele.

O livro termina com uma bênção e saudação por parte dos que estão na Itália (v. 24).

MENSAGEM

A ênfase principal de Hebreus está na supremacia de Jesus Cristo e na necessidade absoluta de confiar nele como Salvador. Ele é o Filho de Deus, a gloriosa revelação do Pai, sem igual — aquele que fez um sacrifício perfeito e totalmente suficiente pelos pecados.

Os destinatários da epístola queriam Jesus e Moisés, Jesus e Arão, Jesus e os sacrifícios — Jesus *e* o judaísmo. O escritor pergunta: “Por quê?”. Ele mostra, de forma apaixonada e persuasiva, que nenhuma pessoa ou instituição é maior que Cristo, que é superior a tudo e a todos. Para nos tornarmos crentes, precisamos apenas de Jesus.

Embora a maioria dos cristãos de hoje não se debata com questões ligadas à lei, somos confrontados por pessoas que dizem que somente a fé em Cristo não é suficiente para nos salvar. A Epístola aos Hebreus demonstra de forma vigorosa a total suficiência da morte de Cristo para expiar nossos pecados.

A epístola também descreve a vida cristã como uma jornada, advertindo sobre o terrível julgamento que aguarda todos aqueles que não perseverarem na fé. Jesus Cristo abriu um caminho da terra para o céu. Só podemos entrar se o seguirmos.

TIAGO

CONTEXTO

Dos três homens chamados Tiago no Novo Testamento, o provável autor dessa carta é Tiago, o irmão de Jesus. Embora ele não tivesse sido crente antes da morte do irmão, a ressurreição o convenceu de que Jesus era realmente o Filho de Deus (cf. Jo 7.3-5; At 1.14; 1Co 15.7). Ele se identifica como um seguidor totalmente dedicado de Cristo (1.1) e, posteriormente, foi o líder da igreja em Jerusalém (Gl 2.9,12).

Tiago não escreveu para uma igreja específica, mas para um público cristão em geral. Após o apedrejamento de Estêvão (At 8.1-3), os judeus lançaram uma cruel campanha de perseguição contra os cristãos, forçando muitos a fugir de Israel. Tiago se dirige simbolicamente a esses cristãos judeus dispersos por todo o império como "as doze tribos dispersas entre as nações" (Tg 1.1). Ele também usa a palavra grega *sinagoga* para "reunião" ou "assembleia", e a epístola se assemelha à literatura sapiencial do Antigo Testamento.

Tiago era realista. Ele não disse "*se*", mas "*sempre que* passarem por várias provações" (1.2); ele pressupôs que as dificuldades são o resultado inevitável de seguir a Cristo em um mundo caído. Provações não são necessariamente ruins. Tiago acreditava que Deus pode usar a provação para ajudar os cristãos a desenvolver uma fé madura e os exortou a orar por sabedoria para saberem como reagir de um modo que os ajudasse a amadurecer, em vez de pecar (1.1-15).

Algumas provações eram externas: por exemplo, incrédulos perseguindo crentes. A maioria das provações que ele mencionou eram internas — questões relacionadas à conduta na comunidade cristã.

Tiago emprega imagens de um realismo contundente. Ele compara um crente imaturo, que não tem fé, a uma onda do mar, "movida e agitada pelo vento" (1.6). Ele diz aos ricos: "Chorem e lamentem", porque serão castigados por enganar os trabalhadores, usurpando seus salários, e porque, por viverem no luxo, satisfazendo seus desejos egoístas, "engordaram [a si mesmos] no dia do abate" (5.1,5).

RESUMO

☐ *Prova e tentação (1.2-18)*

Tiago se identifica como um servo de Deus e do Senhor Jesus Cristo.

A seguir vem sua declaração de abertura: a vida acontece. Provações imprevistas são inevitáveis. Em vez de se deixarem dominar pela raiva ou amargura, os crentes devem se alegrar. Por quê? Porque a provação produz "perseverança", a capacidade de persistir no enfrentamento dos problemas, e a perseverança leva à maturidade, tornando-nos mais semelhantes a Cristo em perspectiva e caráter.

Quando provados, os crentes devem pedir a Deus sabedoria — a capacidade de responder às provações de uma forma que traga honra ao seu nome. Peça com fé inabalável; tenha certeza de que Deus responderá.

Ninguém está imune à tentação, e todos devem ver as provações da perspectiva da eternidade. Os pobres e os ricos enfrentam o mesmo destino. Como uma bela flor que é queimada pelo sol escaldante, até os ricos morrem. O que todos devemos lembrar é que os que suportarem provações receberão "a coroa da vida" (v. 12).

Quando somos provados, há duas opções. O mesmo conjunto de circunstâncias que leva à maturidade tem o potencial de nos levar a pecar. Ninguém, ao ser tentado, deve culpar a Deus. Embora esteja no comando, ele não tenta ninguém, pois não pode fazê-lo. Deus é perfeito; ele não pode ser tentado. A fonte da tentação são nossos próprios desejos maus.

Tiago retrata uma imagem assustadora do que pode acontecer quando uma pessoa se entrega a esses desejos. Como um peixe que vai atrás de uma isca artificial, o desejo lascivo atrai a pessoa para o pecado, que "gera a morte".

Esse tipo de ciclo destrutivo não é vontade de Deus. Ele é bom e benevolente. Ele é imutável; ele quer que todos saibam a verdade do evangelho e vivam uma nova vida.

□ *O que Deus quer (1.19—2.13)*

As três respostas piedosas às provações são: estar pronto a ouvir, demorar para falar e demorar para se irar. Essas respostas desenvolvem a vida justa que Deus deseja para nós.

Estar pronto a ouvir significa realmente fazer o que a Palavra de Deus diz, não simplesmente ouvir. Ao responder ao evangelho, a pessoa será limpa da imundície do pecado e será salva.

Quem apenas ouve a Palavra, mas não faz o que ela diz, é tão tolo quanto alguém que se olha no espelho e esquece imediatamente o que viu. Quem permite que a Palavra de Deus o molde e guie é "abençoado" na vida.

Dois exemplos de "religião pura", uma fé não contaminada pelo mundo, são: ajudar os outros, como "órfãos e viúvas", e não discriminar os pobres em favor dos ricos. Deus escolheu os pobres para serem ricos na fé. Eram os ricos, não os pobres, que perseguiam os crentes e blasfemavam do nome de Cristo.

A "lei do reino segundo a Escritura" (2.8) nos ensina a amar o próximo. Mostrar favoritismo é pecado; quebrar um mandamento é violar toda a lei. Seremos julgados da mesma maneira que tratamos os outros — se tivermos demonstrado misericórdia, receberemos misericórdia; caso contrário, seremos condenados.

□ *A fé morta (2.14-26)*

Tiago faz perguntas para mostrar que "a fé sem obras" é morta (v. 17). Fé que não é demonstrada em boas obras não é fé salvadora. Pois qual é a vantagem de dizer a uma pessoa que precisa de roupas e comida: "Vá em paz, aqueça-se e alimente-se", sem realmente ajudá-la? (2.16). É possível crer sem ter fé salvadora. Até os demônios creem em Deus, e obviamente eles não são salvos (v. 19).

Tiago dá dois exemplos do Antigo Testamento para apoiar seu argumento sobre fé e obras. A disposição de Abraão de sacrificar seu filho Isaque mostrou fé genuína. Ele foi salvo porque "creu em Deus, e isso lhe foi creditado como justiça" (v. 23), mas provou sua fé obedecendo a Deus. A prostituta Raabe provou que acreditava em Deus escondendo os espiões que vieram a Jericó antes que Josué e os israelitas atacassem.

A fé sem obras está tão morta quanto um corpo sem espírito.

□ *Tardio para falar (3.1-18)*

Tiago explica por que o cristão deve ser "tardio para falar" (1.19). A língua é a parte do corpo mais difícil de ser controlada. Essa seção começa com o exemplo de um mestre, alguém que usa a língua para exercer sua profissão. Os mestres têm maior responsabilidade, porque podem enganar as pessoas por meio de falsidades.

Três exemplos da natureza ilustram o poder desproporcional da língua. Embora pequena, ela é poderosa, como um freio que controla um cavalo, um leme que dirige um navio e uma faísca capaz de iniciar um incêndio violento. A língua pode ser incrivelmente destrutiva — pode corromper uma pessoa, colocando-a em um caminho que leva direto ao inferno.

A língua é uma força poderosa para o bem ou para o mal. Como podemos usá-la para louvar a Deus e depois amaldiçoar as pessoas, criadas à imagem de Deus?

O que precisamos para controlar a língua é de sabedoria. Tiago contrasta dois tipos. A sabedoria mundana é invejosa e egoísta; não é espiritual e pode até ser demoníaca. Mas o outro tipo de sabedoria, que "vem do céu" (3.17), é pura, pacífica e cheia de misericórdia. Não mostra favoritismo, mas promove a paz. Produz o tipo de justiça que agrada a Deus.

☐ *Tardio para se irar (4.1-17)*

Tiago faz e responde a suas próprias perguntas. Por que os crentes ainda têm desavenças entre si? Primeiro, apesar de redimidos, eles ainda podem ser movidos por desejos egoístas. Assim, quando não conseguem o que querem, matam e cobiçam; eles não oram e, quando o fazem, são movidos por motivos egoístas. Segundo, eles são como adúlteros, alegando amar a Deus, mas ainda apaixonados pelo mundo. Terceiro, eles são orgulhosos.

Qual é a solução? Eles precisam se humilhar diante de Deus. Se os cristãos resistirem ao Diabo, ou se mantiverem firmes diante dele, ele fugirá. Deus exaltará os humildes.

A crítica ferina a outra pessoa é uma violação porque usurpa a autoridade de Deus, que é o único "Legislador e Juiz" (4.12).

Ninguém sabe o que acontecerá no futuro. Portanto, gabar-se do que se fará hoje ou amanhã, sem incluir Deus nesses planos, é sinal de tola arrogância.

☐ *Advertência sobre o juízo vindouro (5.1-12)*

Deus, o "Senhor todo-poderoso" (5.4), julgará os ricos que se entregaram a uma vida de luxo explorando os pobres desamparados.

Os que foram explorados devem esperar pacientemente, com firme determinação, pela vinda do Senhor. Ele julgará os que criticaram os outros injustamente. Jó, abençoado pelo Senhor depois de sofrer pacientemente uma perda devastadora, é prova da compaixão e misericórdia de Deus.

Deus julgará os que não são sinceros.

☐ *A oração que cura (5.13-20)*

Tiago usa uma série de perguntas para encorajar a oração e o louvor. Para os que estão doentes (talvez espiritualmente fracos por causa do pecado), ele pede que chamem os presbíteros da igreja. Por meio da unção com óleo e da oração, o Senhor curará os enfermos e perdoará seus pecados. A oração é um recurso poderoso para os crentes. Elias, em oração, castigou Israel com uma seca prolongada.

Se alguém se desvia da verdade, todo esforço deve ser feito para trazer essa pessoa de volta à fé.

MENSAGEM

Os crentes sabem que confiar em Cristo como nosso Salvador não nos protege dos vários tipos de problemas com que todos se defrontam. Escrevendo a cristãos judeus que enfrentavam diversas provações, Tiago dá orientação sobre como responder a situações difíceis de uma forma que manifeste a justiça de Deus (1.19). Sua epístola é um dos livros mais práticos do Novo Testamento.

1PEDRO

CONTEXTO

Pedro, "um apóstolo de Jesus Cristo" (1.1), escreveu para encorajar o "povo escolhido" de Deus (2.9), que era desprezado e perseguido por ter abandonado seu modo de vida anterior, que envolvia idolatria e imoralidade (4.3).

Pedro, um líder na igreja primitiva (At 1.15,16; 2.14; 5.29; 15.7), refere-se ainda a si mesmo como também presbítero e testemunha dos sofrimentos de Cristo (1Pe 5.1). Para encorajar os crentes que estão sendo maltratados, Pedro enfatizou os sofrimentos do Senhor. A ênfase na morte sacrificial de Jesus é uma mudança significativa na perspectiva de Pedro; foi ele que confrontou Cristo quando este anunciou pela primeira vez que o clímax de sua missão ocorreria em seu sofrimento, morte e ressurreição (Mt 16.21-23), contudo, em sua epístola, ele usa o exemplo de Cristo para mostrar como devemos reagir à injustiça que nos prejudica ou discrimina.

A carta provavelmente foi escrita em 62-64 d.C. O imperador Nero culpou os cristãos por um incêndio em Roma e lançou uma campanha de terror contra os crentes. Por alguma razão, os ataques foram mais intensos nas províncias da Ásia do que em Roma.

Pedro escreveu para encorajar os crentes que se encontravam nestas províncias: Ponto, Galácia, Capadócia, Ásia e Bitínia (no norte da Ásia Menor). Embora alguns deles possam ter sofrido violência física, os principais ataques eram verbais. Eles eram desprezados e difamados por causa de seu estilo de vida piedoso (2.11,12).

RESUMO

☐ *Salvação e sofrimento (1.1—2.12)*

Pedro lembra a seus leitores que eles foram escolhidos por Deus, que são "peregrinos" ou "estrangeiros" no mundo e que foram purificados pelo sangue de Cristo. Eles são agora "povo de Deus" (2.10).

A perseguição não é uma ameaça à salvação deles, que é uma herança protegida no céu. Sofrer não é de todo ruim; como o fogo refina o ouro, o sofrimento prova e purifica a fé genuína.

Como o povo de Deus deve responder ao sofrimento injusto? Primeiro, embora em um mundo hostil, devemos ser "santos como Deus é santo" (1.15) e amar outros crentes. Segundo, devemos crescer espiritualmente. Como os bebês recém-nascidos desejam leite, os crentes devem ter fome da Palavra de Deus. Terceiro, Pedro usa imagens do Antigo Testamento para identificar o status de um crente: porque somos "pedras vivas", "sacerdócio santo" e "povo escolhido" de Deus (2.5,9), devemos evitar as práticas pecaminosas do mundo.

☐ *Respeito pela autoridade (2.13—3.12)*

Como se espera que os crentes vivam como povo de Deus em um mundo hostil? Pedro dá orientações para quatro tipos de relacionamento: com o estado, entre senhores e escravos, entre marido e mulher, e um conselho geral sobre como viver entre os incrédulos. No centro da seção, ele apresenta a razão doutrinária para a resposta cristã ao sofrimento injusto (2.21-25).

Ao se submeterem às autoridades do governo, os crentes servem de testemunho para os incrédulos e dão honra a Deus.

Como a escravidão era generalizada no império, Pedro exorta os escravos a reconhecerem a autoridade de seus senhores, ainda que estejam sendo maltratados — essa atitude agrada a Deus. Pedro não estava justificando a escravidão; ele estava dizendo que os cristãos não devem retaliar se receberem punições pessoais injustas. Os crentes não estão proibidos de agir contra a injustiça social.

O lembrete do sofrimento e da morte de Cristo não é apenas um exemplo para os escravos, mas também fornece o princípio fundamental do comportamento cristão. Os crentes que confiaram em Cristo como seu Salvador devem seguir seu exemplo. Jesus confiou em Deus e suportou obedientemente o sofrimento, ao morrer como sacrifício pelos nossos pecados.

A esposa deve se submeter ao marido, mesmo que este seja incrédulo, porque, pelo respeito que demonstra, pode convencê-lo a crer. O marido tem a responsabilidade de amar e proteger a esposa, que tem o mesmo valor que ele diante de Deus.

Pedro conclui a seção exortando os crentes a viverem em harmonia uns com os outros e em paz com os incrédulos, mesmo com aqueles que os perseguem. Deus protege e ouve as orações dos que fazem o que é certo.

□ *A resposta do crente à perseguição (3.13—4.19)*

Pedro deu instruções gerais a seus leitores sobre como viver em um mundo hostil; agora ele ensina como responder a ataques específicos. Seu ensino se divide em cinco subseções.

Quando perseguidos por fazerem o que é certo, os cristãos devem estar sempre preparados para explicar por que nossa esperança em Cristo faz toda a diferença na maneira de reagirmos ao sofrimento injusto (3.13-17).

Mais uma vez, Pedro nos lembra que, após seu sofrimento e morte (no corpo), Jesus foi vivificado no Espírito (o reino espiritual) e depois pregou aos espíritos em prisão (possivelmente anjos caídos). Numa passagem muito difícil, Pedro compara as águas do batismo com o Dilúvio que destruiu o mundo no tempo de Noé (3.18-22).

Apesar de os crentes poderem sofrer fisicamente, Pedro os adverte para que não voltem aos pecados de sua vida antiga (4.1-6).

Embora os incrédulos fiquem surpresos e se sintam ofendidos com o estilo de vida transformado do crente, Pedro nos lembra que todos prestarão contas a Deus. Portanto, como povo de Deus, devemos amar uns aos outros e usar nossos dons espirituais para servir aos outros, trazendo glória a Deus por meio de Jesus Cristo (4.7-11).

Pedro nos lembra que não devemos nos surpreender com as provações. Em certo sentido, devemos nos alegrar, pois perseguição é evidência de que pertencemos a Cristo e estamos sendo transformados pela fé que temos nele (4.12-19).

☐ ***Exortações aos presbíteros, aos homens jovens e à igreja (5.1-11)***

Pedro exorta os presbíteros (líderes espirituais) a cuidar compassivamente da igreja como um pastor vigia um rebanho de ovelhas.

Ele insiste com os homens mais jovens para que respeitem a liderança dos presbíteros e se humilhem diante de Deus.

Ele adverte todos os crentes a resistir a Satanás, a quem compara com um leão feroz.

Pedro também lembra a igreja de que sua situação não é excepcional. Os crentes estão sofrendo em toda parte, mas há esperança. Deus nos chamou para participar da glória eterna de Cristo, e o sofrimento que temos agora (na terra) parecerá breve quando comparado ao nosso descanso e paz na eternidade.

☐ ***Saudações finais (5.12-14)***

Pedro termina com uma referência a Silvano (Silas), que o ajudou a escrever a carta, e uma palavra de encorajamento para que seus leitores permaneçam firmes na graça de Deus.

Ele transmite saudações da igreja que está em "Babilônia" (v. 13) (provavelmente Roma) e de (João) Marcos, seu filho na fé.

Pedro espera que seus leitores perseguidos experimentem a paz de Cristo.

MENSAGEM

Tendo sido purificados pelo precioso sangue de Cristo (1.18,19), nós somos o povo de Deus. Por sermos peregrinos e estrangeiros neste mundo, devemos abandonar o pecado e viver para honrar a Deus e refletir sua imagem em santidade e justiça (1.15,16).

Embora a maioria dos crentes não enfrente o tipo de hostilidade que ameaçava a igreja do primeiro século, a perseguição é uma realidade dura e até perigosa para os crentes em muitas partes do mundo de hoje. Quando ameaçados por nossa fé em Jesus, devemos lembrar o incentivo pastoral de Pedro. A perseguição não compromete nossa salvação. Pelo contrário, é evidência de fé autêntica — e é uma oportunidade de contar aos outros sobre o amor de Deus, sobre a morte e a ressurreição sacrificial de Cristo e sobre a glória eterna vindoura.

2PEDRO

CONTEXTO

O autor se identifica como Simão Pedro, um dos Doze. Essa é sua segunda carta aos mesmos leitores (3.1). Embora existam diferenças significativas entre as duas quanto ao conteúdo e ao estilo, a primeira a que ele faz referência provavelmente é 1Pedro.

Pedro não identifica seus leitores, mas provavelmente eles são o mesmo público — cristãos no Ponto, Galácia, Capadócia, Ásia e Bitínia" (1Pe 1.1).

Depois que Pedro negou o Senhor, Jesus o perdoou e disse-lhe que ele cuidasse dos seus cordeiros e pastoreasse as suas ovelhas (Jo 21.15-17). Pedro, um pastor de almas com coração de pastor de ovelhas, sabia que os falsos mestres eram perigosos. Eles alegavam conhecer a verdade, mas ainda estavam presos a um estilo de vida imoral. Eles negavam os benefícios salvadores da morte de Cristo e zombavam da promessa de seu retorno. Pedro exorta os crentes a se protegerem crescendo no conhecimento da verdade e na piedade.

RESUMO

☐ ***Continuem crescendo (1.1-15)***

Pedro cumprimenta seus destinatários e os identifica como aqueles que alcançaram fé e retidão por meio de Jesus Cristo, que é Deus e Salvador.

Cristo providenciou tudo aquilo de que os crentes precisam para a vida. Por compartilharmos a excelência moral de Deus, ele nos exorta a continuar crescendo na fé. Na chamada "escada da fé", ele nos exorta a acrescentar à nossa fé: bondade, conhecimento, autocontrole, perseverança, piedade, afeição mútua e amor.

Se continuarmos crescendo em nossa fé, provaremos que nosso chamado é genuíno e seremos honrados com uma gloriosa recepção no reino eterno do Senhor Jesus Cristo.

Sabendo que sua morte estava próxima, Pedro estava empenhado em relatar o que havia ensinado anteriormente.

□ *O testemunho de Pedro e as palavras dos profetas (1.16-21)*

Em contraste com o ensino falso, baseado em histórias engenhosamente inventadas, Pedro enfatiza que ele é testemunha ocular da transfiguração de Jesus e que ensina com base nas Escrituras (do Antigo Testamento), que foram redigidas por homens inspirados pelo Espírito. A primeira referência é uma das duas únicas menções de eventos específicos da vida de Cristo existentes nas epístolas. (A outra é a ceia do Senhor, mencionada em 1Coríntios 11.)

□ *Descrição e perigo dos falsos mestres (2.1-22)*

Falsos mestres não são nenhuma novidade — assim como haviam se infiltrado no povo de Deus no passado, agora haviam penetrado secretamente entre os crentes. O ensino deles é destrutivo porque eles negam o Soberano Senhor que os comprou. Eles são imorais e gananciosos; dizem qualquer coisa para explorar seus ouvintes.

Pedro usa três exemplos do juízo de Deus sobre os ímpios extraídos do Antigo Testamento: os anjos que pecaram, o Dilúvio e Sodoma e Gomorra. Aqueles anjos são tão perigosos, que Deus os confinou no Tártaro, um lugar de trevas, até o dia do julgamento. Embora Deus tenha destruído os ímpios, resgatou os piedosos: ele não confinou todos os anjos; protegeu Noé e sua família; resgatou Ló. O ponto crucial é que Deus sabe como livrar os justos e julgar os iníquos.

Os falsos mestres se disfarçaram de crentes, mas não escaparão ao julgamento.

Pedro descreve os falsos mestres com histórias de notórios pecadores do Antigo Testamento e com ilustrações explícitas. Embora esses enganadores afirmem que conhecem a Cristo e que foram libertos da escravidão do pecado, eles se afastaram de Cristo e se envolveram novamente em corrupção. Teria sido melhor para eles se nunca houvessem conhecido o "caminho da justiça" (2.21). Agora eles são como um cachorro que volta a comer o próprio vômito, como um porco que chafurda na lama.

□ *Ele está vindo (3.1-13)*

Nessa segunda carta, Pedro pede aos leitores que se lembrem dos ensinamentos e advertências que receberam por meio dos profetas e apóstolos.

Os hereges escarnecem da promessa do retorno de Cristo; eles são "escarnecedores" (3.3). Afirmam que o mundo sempre foi o mesmo, desde a sua criação; de fato, eles esquecem deliberadamente que o mundo foi catastroficamente mudado quando Deus o destruiu pela água. O Dilúvio no tempo de Noé é evidência de que Deus intervirá para punir os ímpios.

Duas razões pelas quais Cristo ainda não retornou: o conceito de tempo do Senhor é totalmente diferente do nosso. Um dia para o Senhor é como mil anos. E Deus é paciente; ele *não quer* que ninguém perca a vida eterna no céu.

Mas a paciência de Deus tem limite. O Senhor virá inesperadamente, "como ladrão" (v. 10). Ele destruirá com fogo os céus e a terra que conhecemos hoje e criará novos céus e uma nova terra — um mundo de perfeita justiça.

□ *Enquanto esperamos... (3.14-18)*

Sabendo disso, devemos nos esforçar ao máximo para sermos santos e estarmos em paz com Deus. A paciência de Deus deve motivar as pessoas a se arrependerem, como Paulo escreveu em suas cartas. Pedro admite que algumas coisas que Paulo escreveu são difíceis de entender, mas todos os seus escritos são inspirados, como "as demais Escrituras" — referindo-se aqui ao Antigo Testamento.

Pedro termina advertindo os crentes para que não se deixem levar pelo erro dos homens sem princípios e incentiva o crescimento na graça e no conhecimento do Senhor. Sua palavra final é uma doxologia: "A ele seja a glória agora e para sempre! Amém" (v. 18).

MENSAGEM

Pedro enfatiza a importância de os cristãos saberem em que acreditam. Os crentes sempre enfrentarão a ameaça de impostores ímpios que distorcem a verdade, são movidos pela ganância e andam pelos caminhos do pecado. O julgamento deles é tão certo quanto a volta do Senhor. Precisamos saber discernir o erro e, assim, escolher corretamente.

1JOÃO

CONTEXTO

O autor é o apóstolo João (não João Batista). Ele e Tiago, seu irmão, eram pescadores que deixaram suas redes, seu barco e seu pai imediatamente para seguir Jesus (Mt 4.21,22). Ele era um dos amigos mais próximos de Jesus, "aquele a quem Jesus amava" (Jo 13.23); ele escreveu o quarto Evangelho, três epístolas e o Apocalipse.

Quando os romanos destruíram Jerusalém, por volta de 70 d.C., João deixou a cidade e foi para Éfeso, no oeste da Ásia Menor (hoje oeste da Turquia), onde continuou o ministério pastoral das igrejas.

No final do primeiro século, um grupo que alegava ser crente deixou a igreja e iniciou um movimento herético que negava a divindade e a encarnação de Jesus Cristo. Eles rejeitaram a autoridade apostólica de João e tentaram convencer outros a se juntarem a eles. João escreveu essa carta para expor a falsidade do que eles ensinavam e proclamar o que os apóstolos haviam visto e ouvido, de modo que os crentes pudessem ter comunhão com eles e com o Pai e seu Filho Jesus, para que a alegria deles fosse completa (1.3,4).

Um exemplo do tipo de heresia que João estava refutando vem do segundo século. Cerinto, líder de um grupo gnóstico primitivo, ensinou que Jesus não era o Filho de Deus, que não havia nascido de uma virgem e que era um homem como outro qualquer. Segundo ele, Cristo era um ser espiritual, que desceu sobre o homem Jesus na forma de uma pomba e o deixou antes de sua crucificação, para que Cristo, um espírito, fosse intocado pela carne (que Cerinto dizia ser intrinsecamente má).

RESUMO

☐ *A alegria da comunhão (1.1-4)*

Em vez de uma saudação padrão, João começa com uma proclamação, afirmando que ele e os outros apóstolos testemunharam a vida terrena de Jesus. Ele quer que os crentes desfrutem da mesma comunhão que ele tem com o Pai e com seu Filho, Jesus Cristo.

☐ *Justiça, amor e crença (1.5—2.29)*

João ama seus leitores como um pai ama os filhos. Para ajudá-los a permanecer em comunhão com o Senhor, João fornece a seus filhos três testes: justiça, amor e crença.

Aquele que tem verdadeira comunhão com Deus andará na luz porque Deus é luz e nele não há trevas. Os crentes perceberão que são pecadores, mas não praticarão o pecado; quando um cristão cometer pecado, ele o confessará, sabendo que Jesus Cristo morreu como sacrifício por seus pecados.

A obediência aos mandamentos de Deus é um segundo teste de fé, especialmente a obediência ao mandamento de amar. Jesus estabeleceu um novo padrão para o amor, e os crentes devem amar como ele amou. Quem ama o mundo não é do Pai. O mundo é um sistema corrupto e perverso, e está destinado à destruição.

Muitos anticristos vieram ao mundo. João identifica um anticristo como alguém que ensina que Jesus não é o Cristo e o Filho de Deus. Os anticristos provaram ser falsos mestres ao deixarem a igreja.

Eles são mentirosos e não sabem a verdade. Por outro lado, os crentes receberam o Espírito Santo, que lhes permite conhecer a verdade e permanecer em comunhão com Cristo.

☐ *Justiça, amor e crença (3.1—5.12)*

Na segunda metade da epístola, João baseia-se nesses "testes" para dar aos crentes a garantia de que são filhos de Deus.

Ele pede a seus leitores que pensem em quanto Deus os ama. Pelo fato de estarem destinados a ser como Cristo, devem se manter afastados do pecado, antecipando seu retorno visível. O pecado viola a lei de Deus, e quem vive em pecado não conhece a Cristo. Essa pessoa é filha do Diabo.

Os cristãos devem amar uns aos outros; João dá um exemplo negativo e outro positivo. Ele se refere primeiro a Caim, que matou o irmão, e depois a Cristo, que entregou a vida em um ato de amor altruísta. A obediência à ordem de amar é evidência de que uma pessoa tem o Espírito de Deus.

João introduz o tema do Espírito de Deus. É necessário testar "os espíritos" por causa de falsos profetas. A verdadeira prova do Espírito é a confissão de que Jesus Cristo veio em carne. Quem nega que Cristo é totalmente Deus e totalmente homem é falso profeta e inspirado pelo "espírito do erro" (4.6), não pelo Espírito de Deus.

João faz uma segunda avaliação. Quem ouve o ensino dos apóstolos pertence a Deus; quem rejeita a mensagem de João sobre Cristo não pertence a Deus.

João concentra-se no amor como a principal característica daqueles que nasceram de Deus. Deus não só é luz (1.5), mas também é amor (4.8). O envio de seu Filho como sacrifício pelos nossos pecados prova o quanto ele nos ama, e isso deve nos motivar a amar aos outros. Aqueles que amam sabem que Deus lhes deu seu Espírito, e, se têm o Espírito, testemunharão que Jesus é o Salvador. João aplica esse teste de forma negativa e positiva. Quem odeia outro cristão não pode amar a Deus; por outro lado, os verdadeiros crentes amarão outros crentes.

Três sinais característicos de um filho de Deus: amar os filhos de Deus (outros cristãos), obedecer aos mandamentos de Deus e crer que Jesus Cristo é o Filho de Deus. Quem pode vencer o mundo? A resposta é: aqueles que creem que Jesus é o Filho de Deus.

João dá testemunho tangível da verdadeira identidade de Jesus como Deus e homem: o Espírito, a água e o sangue. Quem aceita o Filho tem vida eterna; quem rejeita o Filho não tem vida eterna.

☐ ***Garantias cristãs e uma advertência (5.13-21)***

João afirma que o que ele escreveu deve dar aos cristãos a garantia de que eles têm vida eterna, que Deus ouve e responde a oração — incluindo a oração pelos que pecarem —, que o Filho de Deus os manterá longe do pecado e os protegerá do Maligno (Satanás) e que, conhecendo o Filho, eles podem ter comunhão com o único Deus verdadeiro.

Ele termina subitamente com uma advertência contra a adoração aos ídolos.

MENSAGEM

O apóstolo João escreveu para refutar uma heresia do primeiro século cujos seguidores diziam crer em Deus, mas não no Filho de Deus. João disse que isso é impossível. Uma pessoa não pode afirmar que crê em Deus, mas não em Jesus Cristo, seu Filho. João dá seu testemunho: *"Eu o ouvi; eu o vi; e eu literalmente toquei nele. Eu sei com certeza que Jesus era Deus encarnado"*.

João enfatiza a importância da fidelidade a três verdades cruciais: crer que Jesus Cristo é o Filho de Deus que deu sua vida como sacrifício pelo pecado, demonstrar uma vida transformada, purificando-se dos pecados do mundo, e amar e permanecer em comunhão com outros cristãos.

2JOÃO

CONTEXTO

Embora o autor se identifique simplesmente como "o presbítero", a maioria acredita que ele seja o apóstolo João, que escreveu também o quarto Evangelho e 1João.

João endereça a epístola a uma "senhora eleita" e a "seus filhos". Alguns acham que esses títulos se referem a uma igreja e seus membros, outros acham que João tinha em mente uma mulher de destaque e seus filhos.

Seja uma igreja ou uma pessoa real, o problema era que a destinatária, sem saber, havia convidado falsos mestres para sua casa (ou uma igreja que se encontrava em casas); João escreve para adverti-la a ter mais cuidado quanto a mostrar hospitalidade a estranhos.

RESUMO

João abre com uma saudação de graça, misericórdia e paz e elogia seus leitores por continuarem firmes na verdade e amarem uns aos outros; ele os exorta a permanecerem fiéis nos dois aspectos, como Deus ordenou.

João adverte que muitos falsos mestres negam a pessoa de Cristo. Ele quer que os crentes sejam diligentes, para que não se afastem da verdade, e diz que eles não devem permitir que os que não creem em

Cristo entrem em seus lares. Permitir isso é tornar-se parceiro deles na divulgação de falsos ensinamentos.

João diz que sua carta é breve porque espera visitá-los logo; ele envia saudações à irmã eleita (uma pessoa ou uma igreja).

MENSAGEM

A advertência de João contra os falsos mestres deve nos lembrar que nem todos os que afirmam estar servindo ao Senhor são honestos. Precisamos amar uns aos outros e ter cuidado para não apoiar inadvertidamente falsos mestres.

3JOÃO

CONTEXTO

Mais uma vez o autor se identifica como "o presbítero", que provavelmente é o apóstolo João. A carta é dirigida a Gaio, um querido amigo de João e um fiel membro da igreja.

João escreveu para alertar Gaio sobre um presbítero egoísta chamado Diótrefes, que havia espalhado boatos falsos sobre João, se recusou a dar apoio aos mestres que ele enviou, e até excomungou quem tentou ajudar os discípulos de João.

RESUMO

João cumprimenta Gaio e o elogia por seu amor à verdade. Ele espera que Gaio esteja gozando de boa saúde e agradece pelos relatórios positivos que recebeu sobre seu amigo.

Como os mestres itinerantes dependiam da hospitalidade quando viajavam, João pede a Gaio que cuide dos colaboradores de João no ministério porque eles estão ensinando a verdade.

João declara seu descontentamento com Diótrefes por abusar de seu poder. Ele deixa claro que isso é um péssimo exemplo para os crentes e que pretende denunciar o que ele está fazendo — "espalhando palavras absurdas e maldosas" — quando for visitar a igreja.

Em contraste com ele, Demétrio tem boa reputação e pratica a verdade. Assim como 2João, essa terceira epístola é curta, porque João espera em breve ver o(s) destinatário(s). Ele encerra com uma bênção e pede que Gaio cumprimente seus amigos.

MENSAGEM

O elogio de João a Gaio por dar hospitalidade a irmãos e irmãs viajantes que ensinam a verdade é um lembrete de que todos nós, que amamos a verdade, devemos dar apoio aos que servem ao Senhor.

JUDAS

CONTEXTO

Judas se apresenta como "irmão de Tiago". Ele não era o apóstolo Judas e definitivamente não era Judas Iscariotes, que traiu Jesus. Tiago, que escreveu a epístola que leva seu nome, era meio-irmão de Jesus (Mt 13.55; Mc 6.3) e líder da igreja de Jerusalém (At 15.13). Portanto, o Judas que escreveu essa epístola também era meio-irmão de Jesus.

A única informação que temos sobre Judas vem dessa carta. Ele era um "servo de Jesus Cristo", profundamente preocupado com a ameaça que os falsos mestres representavam para os crentes (v. 3,4), mas com absoluta certeza do amor de Deus e do poder de Jesus Cristo para proteger os destinatários da carta.

Judas escreve para alertar sobre esse perigo iminente, que era tão grave a ponto de fazê-lo mudar o motivo pelo qual estava escrevendo. De início, ele queria escrever sobre as bênçãos da salvação, mas, em vez disso, foi obrigado a alertar seus leitores sobre pessoas que haviam se infiltrado secretamente na igreja.

RESUMO

☐ ***Saudações e motivo (v. 1-4)***

Depois de se identificar, Judas encoraja seus leitores, enfatizando que eles são "chamados", "amados" e "guardados" (v. 1). Ele os cumprimenta com a tríplice bênção da misericórdia, paz e amor.

Falsos mestres haviam se infiltrado sorrateiramente na igreja. Eles são ímpios, imorais e negaram Jesus Cristo.

☐ ***Descrição dos falsos mestres; aviso sobre o julgamento (v. 5-16)***

Judas adverte que pecado e julgamento andam de mãos dadas, e ilustra sua advertência com três exemplos do Antigo Testamento.

Sua descrição dos apóstatas é chocante. Como animais irracionais, eles são controlados por suas paixões, rejeitam a autoridade e zombam do que não entendem. Estarão debaixo da mesma condenação que os notórios rebeldes Caim, Balaão e Coré.

Judas usa comparações poderosas com elementos da natureza para descrever as ações vergonhosas e a perdição certa dos falsos mestres. Até Enoque previu juízo sobre os que exploram os outros para satisfazerem seus desejos egoístas.

☐ ***O dever dos crentes (v. 17-23)***

Judas lembra a seus leitores que os apóstolos haviam previsto a vinda de judeus ímpios e os exorta a se protegerem, ajudando uns aos outros a amadurecer na fé, orar e permanecer firmes no amor a Deus.

Como essas pessoas estão condenadas, Judas encoraja os crentes a mostrar misericórdia e a envidar todos os esforços para ajudá-las a sair de seus caminhos pecaminosos.

☐ ***Doxologia (v. 24,25)***

Judas termina com uma das mais magníficas doxologias do Novo Testamento, louvando a Deus por seus atributos e poder.

MENSAGEM

Por causa do perigo dos falsos mestres, Judas insta seus leitores a “lutar pela fé” (v. 3). Os cristãos de todas as gerações têm a responsabilidade de defender a verdade, que foi transmitida desde os apóstolos. Isso significa que devemos amadurecer na fé, manter-nos no amor de Deus e ter misericórdia dos que caem na armadilha do ensino corrompido e de um estilo de vida imoral.

Embora Deus tenha julgado rebeldes no passado e, no futuro, vá julgar os que negam a Cristo e rejeitam a autoridade divina, os cristãos não têm o que temer. Por confiarmos em Jesus como nosso Salvador, podemos ter certeza de que Deus é capaz de impedir-nos de cair e de nos apresentar, inculpáveis, à sua presença gloriosa. Quanto às inspiradoras palavras de louvor de Judas, da próxima vez que você se sentir sobrecarregado com a vida ou simplesmente quiser se alegrar, leia os versículos 24 e 25 em voz alta.

APOCALIPSE

CONTEXTO

De todos os livros da Bíblia, Apocalipse é o mais difícil de entender. Escrevendo no final do primeiro século, João usou um estilo imaginativo conhecido como "apocalíptico", que fornece uma perspectiva visionária da história, utilizando simbolismo fantástico para narrar acontecimentos passados, presentes e futuros. A escrita apocalíptica também dá aos "loucos proféticos" uma oportunidade de deixar a imaginação correr solta e lançar mão de todo tipo de projeções e afirmações.

A abordagem que adotamos aqui foi a de reconhecer o livro como uma carta escrita para igrejas reais da Ásia Menor. Embora use imagens altamente simbólicas, João relata acontecimentos reais (passados, presentes e futuros). Seu objetivo era assegurar aos cristãos, não só aos que estavam sendo perseguidos no primeiro século, mas a todos os crentes dos milênios vindouros, que o Cristo crucificado e ressuscitado é o vitorioso Cordeiro de Deus que julgará Satanás e os inimigos do povo de Deus e levará os crentes para seu lar eterno.

João escreveu às sete igrejas da Ásia (agora oeste da Turquia). O culto ao imperador já fazia parte do sistema religioso romano, mas foi só a partir daquela época que o imperador Domiciano passou a exigir adoração exclusiva como "deus". Por todo o império, mas particularmente na província da Ásia, cristãos foram presos, torturados e mortos por se recusarem a participar daquele culto idólatra. Para muitos, parecia que Deus os havia abandonado.

João escreveu para assegurar-lhes que Jesus Cristo, o Cordeiro de Deus, está vivo e triunfante, que Deus ainda está em seu trono, que Cristo derramará a ira de Deus sobre Satanás e seus seguidores e levará seus próprios seguidores fiéis ao seu lar eterno.

ESTRUTURA

Antes de entrarmos no resumo do livro, vamos observar três características estruturais importantes.

Apocalipse geralmente é identificado como o livro de Apocalipse por causa de sua extensão, mas de fato é uma epístola — uma carta escrita por João às igrejas. Portanto, é importante ter em mente que, apesar das difíceis imagens, João estava escrevendo sobre acontecimentos reais. Essa não é uma história mítica sobre a luta entre o bem e o mal.

A passagem de Apocalipse 1.19 basicamente diz que o livro tem três seções principais: "Escreva as coisas que você viu, tanto as do presente como as que acontecerão depois destas".

Passado (cap. 1) — João tem a visão do Cristo triunfante
Presente (caps. 2 e 3) — Cartas às sete igrejas da Ásia
Futuro (caps. 4-22) — João descreve uma série de juízos que se abaterão sobre a terra, a derrota final de Satanás e o novo céu e a nova terra.

João alterna cenas na terra e cenas no céu. No capítulo 7, por exemplo, ele descreve os 144 mil na terra; no capítulo 14, ele descreve os mesmos 144 mil no céu.

RESUMO

☐ ***João tem a visão do Cristo triunfante (1.1-20)***

Na introdução, João identifica Jesus Cristo como a fonte *e* o assunto do livro.

Foi no "dia do Senhor" (1.10) que João teve uma visão de Jesus Cristo, o Filho do Homem, vivo e triunfante, em pé no meio de sete candelabros, segurando sete estrelas na mão direita. Os candelabros e as estrelas representam as sete igrejas; a visão simboliza sua autoridade e poder para proteger sua igreja.

□ *Mensagens de Cristo para as sete igrejas (2.1—3.22)*

João se dirige a cada uma das sete igrejas que se encontram na Ásia. Começando com a igreja de Éfeso e indo no sentido horário, são elas: Éfeso, Esmirna, Pérgamo, Tiatira, Sardes, Filadélfia e Laodiceia.

Cada mensagem segue um padrão geral: uma descrição de Cristo, um elogio, uma queixa e advertência, e uma exortação e promessa final. (Nem todos as características estão presentes em todas as mensagens.) A descrição de Cristo em cada uma vem da visão que João registra no capítulo 1.

A carta à igreja em Éfeso é um bom exemplo:

Descrição de Cristo (2.1; cf. 1.12,16 para a descrição de Cristo)
Elogio (2.2-4)
Queixa (2.5,6)
Promessa (2.7)

□ *João tem uma visão do futuro (4.1—22.5)*

O TRONO DE DEUS E O CORDEIRO (4.1—5.14)

Como prelúdio dos juízos que serão desencadeados na terra, João descreve uma experiência visionária que o levou à presença de Deus. Ele vê Deus sentado em seu trono (uma posição de autoridade) cercado por anjos que estão cantando "Santo, Santo, Santo" (4.8) e 24 anciãos. Deus está no controle absoluto do mundo e é digno de receber glória e honra como criador de todas as coisas.

Ele também vê que Deus está segurando um rolo de pergaminho na mão direita. No começo, João fica angustiado porque ninguém é digno de abri-lo, mas depois é consolado por um dos anciãos, que diz: "Não chore! Veja, o Leão da tribo de Judá, a raiz de Davi, venceu. Ele é capaz de abrir o livro e romper os sete selos" (5.5).

João identifica o Leão como o Cordeiro que foi morto, mas agora está vivo. O rolo contém os juízos prestes a serem desencadeados na terra; por causa de sua morte e ressurreição, Jesus Cristo está autorizado a executar os juízos. Os 24 anciãos, que anteriormente adoravam a Deus, agora adoram o Cordeiro.

Selos, trombetas e taças

A seção principal do livro descreve três conjuntos — selos, trombetas e taças — de sete flagelos cada. Os julgamentos são revelados em sequência cronológica, mas é mais provável que sejam executados simultaneamente ou ciclicamente. Cada série fornece novas informações sobre os terrores da ira de Deus sobre os que rejeitam o Cordeiro e perseguem seu povo.

Entre o sexto e o sétimo juízos de selos e trombetas, João insere interlúdios que fornecem mais informações sobre a luta cósmica entre Deus e seus inimigos. Após o primeiro interlúdio, os juízos são retomados com a abertura do sétimo selo, que contém os sete julgamentos das trombetas. Há um segundo interlúdio após o julgamento da sexta trombeta e, em seguida, o julgamento da sétima trombeta é aberto, liberando os julgamentos das sete taças. Por serem a última série, não há interlúdio entre os julgamentos da sexta e da sétima taça.

Embora os iníquos tentem se esconder, não há como escapar da ira de Deus. Os julgamentos são de natureza catastrófica, afetando toda a criação. Apesar de afligidos por sofrimentos indescritíveis e morte, os iníquos não se arrependem e persistem no culto aos demônios e em sua maldade.

No primeiro interlúdio, João descreve uma cena na terra e depois uma no céu. Na terra, ele vê 144 mil pessoas que foram seladas para proteção e as identifica como o povo de Deus. No céu, ele vê uma vasta multidão de todas as nações, tribos e povos diante do trono de Deus e do Cordeiro. Elas lavaram as suas vestes "e as branquearam no sangue do Cordeiro" (7.14), simbolizando que foram purificadas do pecado e venceram a morte pelo sacrifício de Cristo na cruz.

João descreve duas cenas no segundo interlúdio — um anjo com um livrinho e duas testemunhas. O anjo ordena que João coma o pergaminho, que é doce ao paladar, mas faz com que seu estômago fique amargo. O pergaminho simboliza que os julgamentos trazem uma doce vitória para o povo de Deus, mas um sofrimento amargo para os ímpios.

No meio do julgamento, Deus envia duas testemunhas aos iníquos. Inicialmente, elas têm poder para se proteger, mas, depois de concluírem seu ministério, são atacadas e assassinadas. Para desonrá-las publicamente, seus corpos são deixados nas ruas de Jerusalém por três dias e meio. Então, Deus soprará o fôlego de vida em suas testemunhas e as levará para o céu.

Após a sétima trombeta, João registra um hino de vitória. Os 24 anciãos anunciam que o fim está próximo para os perseguidores do povo de Deus.

João revela que Satanás é o poder por trás dessa perseguição. Ele é descrito como um dragão, que tenta destruir Cristo (o filho da mulher), mas Deus arrebata seu Filho de Satanás. Jesus foi crucificado, mas Deus o livrou da morte e o entronizou no céu.

Para sua guerra contra Deus, o dragão forma uma trindade do mal. Ele é auxiliado pela besta que saiu do mar e pela besta que saiu da terra. Com poder dado pelo dragão, a besta do mar é fatalmente ferida, mas não morre. Ela obriga as pessoas a adorarem o dragão. A besta da terra faz milagres e marca pessoas como seus escravos.

Em contraste com o caos na terra, João vê os 144 mil com o nome de Deus escritos na testa, em pé com o Cordeiro no monte Sião. Eles foram fiéis e são redimidos da terra.

Antes do derramamento das sete taças da ira, três anjos anunciam o "evangelho eterno" (14.6). Deus resgatará seu povo e destruirá os que adoram a besta. O Filho do Homem e seus anjos vêm com foices para fazer a colheita na terra.

As sete taças da ira completam o julgamento de Deus. Uma grande multidão de crentes do Antigo e do Novo Testamento canta o cântico de Moisés e o cântico do Cordeiro. O Templo de Deus é aberto, e sete anjos vêm do templo para derramar os sete juízos das taças. Embora os exércitos da terra, o dragão e as duas bestas tentem lutar, eles são derrotados decisivamente na batalha do Armagedom.

Babilônia, a grande (17.1—19.10)

João descreve o julgamento devastador de um sistema mundial ímpio e totalmente depravado. Da perspectiva de Deus (o céu), essa é "a grande prostituta", que seduziu as pessoas para que adorassem deuses falsos e está "embriagada com o sangue dos santos" (17.4-6).

João descreve o fim do mesmo sistema mundial novamente, mas da perspectiva da terra. Do ponto de vista humano, o mundo é um sistema econômico poderoso e lucrativo. As pessoas lamentam a queda da "grande Babilônia" (18.2).

A queda de Babilônia provoca grande alegria no céu (19.1-10). Os 24 anciãos e um vasto exército gritam louvores a Deus e comemoram a vitória com um banquete de casamento, a "ceia das bodas do Cordeiro" (19.9).

A volta triunfante do Cordeiro (19.11—20.15)

O julgamento termina de forma dramática quando Jesus Cristo, Rei dos reis e Senhor dos senhores, cavalga à frente de seu exército celestial e esmaga totalmente os exércitos do mundo. As duas bestas são lançadas em um lago de fogo, e Satanás é preso por mil anos. No final desses mil anos, Satanás é temporariamente liberto. Ele ainda está determinado a tomar o lugar de Deus e lidera um grande exército contra o povo de Deus. Sua rebelião é inútil. O Diabo e seus seguidores são lançados no lago de fogo para sempre.

A Nova Jerusalém (21.1—22.5)

O lar final dos crentes é a Nova Jerusalém, uma cidade descrita como uma linda noiva e o lugar da bênção eterna. Ao contrário da perversa cidade de Babilônia, não há pecadores na Nova Jerusalém, apenas aqueles cujos nomes estão escritos no Livro da Vida do Cordeiro. A maldição da humanidade por causa do pecado de Adão e Eva é removida, e os crentes adorarão e reinarão com Deus e o Cordeiro para sempre.

□ ***Jesus está voltando (22.6-21)***

João conclui com uma atestação angelical da confiabilidade de sua carta, uma exortação à vida santa, uma advertência para que não se altere a mensagem do livro e uma promessa do Senhor Jesus de que ele voltará em breve.

MENSAGEM

O Apocalipse conclui o dramático e extraordinário plano de redenção de Deus. Começando na desobediência de Adão e Eva, o plano divino culminará no triunfo do Cordeiro, quando ele voltar como Leão. Por causa de sua morte sacrificial e ressurreição vitoriosa, somente Jesus Cristo tem autoridade para julgar a terra e resgatar seu povo. Exatamente como prometeu, Jesus está voltando para restaurar a terra e reinar com justiça. Todos os verdadeiros crentes podem ter certeza de que triunfarão com ele e habitarão na presença de Deus para sempre.